FACEBOOK

VISIBILIDAD PARA MARCAS Y PROFESIONALES

FACEBOOK

VISIBILIDAD PARA MARCAS Y PROFESIONALES

ÓSCAR RODRÍGUEZ FERNÁNDEZ

Todos los nombres propios de programas, sistemas operativos, equipos hardware, etc. que aparecen en este libro son marcas registradas de sus respectivas compañías u organizaciones.

© Copyright de los textos: Óscar Rodríguez Fernández
© Copyright fotografía cubierta: 10 FACE / Shutterstock Images LLC. 2003-2016

© EDICIONES ANAYA MULTIMEDIA (GRUPO ANAYA, S.A.), 2017
Juan Ignacio Luca de Tena, 15. 28027 Madrid
Depósito legal: M. 18.050-2016
ISBN: 978-84-415-3822-1
Printed in Spain

"Aprendí que puede decirse mucho sobre una persona a partir de la manera en que maneja tres situaciones simples: un día lluvioso, la pérdida de su equipaje y el enredo de las luces navideñas. [...]

Aprendí que todos los días hay que acercarse y tocar a alguien. Todos amamos un abrazo cálido o simplemente, una palmada amistosa en la espalda. Aprendí que a esta altura de mi vida, todavía tengo mucho por aprender. Aprendí que las personas podrán olvidar lo que dijiste, podrán olvidar lo que hiciste, pero nunca olvidarán cómo las hiciste sentir".

Maya Angelou (1928-2014)

Índice de contenidos

Introducción. Una estrategia de visibilidad en Facebook paso a paso.. 13

Cuáles son las fases a completar para establecer
una estrategia de visibilidad efectiva.................... 14
Qué fases y procesos son ineludibles........................ 16

1. Investigar el sector y analizar a la competencia 21

Qué datos es preciso detectar y conocer................... 21
Qué herramientas utilizar 24
Cuánto tráfico dirige Facebook al sitio Web
de la competencia 26
Cómo conocer la tasa de *engagement*
de una página 28
Cómo obtener la tasa de crecimiento
de "Me gusta" 30
Cuál es el modo de comparar comunidades de fans..... 32
Qué número de clics tienen los enlaces
en publicaciones 34
Análisis del contenido y la interactividad................. 35
Dónde encontrar más datos sobre países y sectores...... 37

2. Monitorización del contenido
y la conversación online 41

Por qué hay que monitorizar 41
Qué ventajas ofrece a la marca 43
Qué conceptos es preciso conocer para comenzar.... 44
Qué herramienta es la más adecuada 47
Cómo y que debemos buscar de la marca 49
Cómo obtener datos cualitativos de la marca 50
Qué monitorizar de la competencia 51
A qué responden las menciones recogidas............ 52
Cómo preparar los datos para interpretarlos
a través del reporting.......................... 53

3. Establecimiento de metas y objetivos................... 55

Por qué Facebook y no otra plataforma social........ 55
Para qué utilizar Facebook en una estrategia social...... 56
Qué es la meta de una estrategia de visibilidad 58
Cómo identificar y definir los objetivos 59
Cuáles son las diferencias entre una meta
y un objetivo 62
Cómo asociar los objetivos a una meta................. 63
Por qué los "Me gusta" no deben ser un objetivo...... 64

4. Planificar la estrategia de puesta
en marcha de la página 67

Cuál es el proceso básico de la planificación 67
Cuál debe ser la identidad de la página 68
Cómo aprovechar la interacción del usuario............ 70
Qué se debe admitir como punto de partida 72
Cuál debe ser estrategia hacia la conversación 74

5. Conceptualizar un enfoque distintivo 77

A qué se refiere exactamente un enfoque distintivo ... 77
Qué debe integrar un enfoque adecuado................ 78
Cómo marcar una línea conceptual sólida 79

Aprovecha los hashtags y las *vanity URL*
como apoyo...81

6. Crear la página e introducir sus datos básicos...... 83

Qué es y cómo se estructura una página
de Facebook 83
Qué elegir para una marca personal, perfil o página 86
Qué elegir para crear comunidad, página o grupo ...88
Cómo dar los primeros pasos en el proceso
de creación de una página 91
Qué es necesario para cumplimentar
la información básica 92
Cómo crear una página basada en la conversión
de un perfil personal...95

7. Identificar y segmentar al usuario del contenido 99

Por qué es importante la segmentación 99
Cómo detallar un perfil de usuario objetivo...........102
Cómo puede ayudar una comunidad a segmentar
adecuadamente..104
Cómo configurar el "público preferido"
de la página..107
Cómo segmentar las publicaciones por intereses
temáticos...108
Qué se obtiene al segmentar publicaciones
por intereses temáticos 110
Cómo limitar la visualización de publicaciones
según la audiencia 111

8. Configurar las opciones de visibilidad 113

Cuáles son las opciones mínimas de configuración
estética 113
Dónde establecer las configuraciones esenciales 116
Cómo llevar a cabo las acciones de configuración
más importantes 120

9. Producir contenidos adecuados y efectivos 129

Cuál es la fórmula más adecuada para publicar
adecuadamente 129
Cómo publicar para conseguir el *engagement*
del usuario 131
Cómo aprovechar el Marketing de Contenidos
como base de la estrategia 134
Cuáles son las reglas para hacer Marketing
de Contenidos 136
Qué debe incluir un plan de contenidos 138
Cómo definir el plan de contenidos vinculado
a la estrategia 139
Qué se debe incluir en un calendario editorial 140
Cómo trazar el plan de lanzamiento y publicación 142
Cómo crear contenido con un enfoque
diferenciador 143
Cuáles pueden ser las temáticas más adecuadas
e interesantes 146
Actualiza con algunos trucos para que la pieza
destaque 148
Que herramientas utilizar para publicar
y gestionar piezas 150

10. Facilitar la visibilidad del contenido 155

Cómo aprovechar "EdgeRank" para hacer más
visible el contenido 155
Qué normas son de obligado cumplimiento
para lograr visibilidad 159
Qué hacer para lograr la relevancia de la marca
a través del contenido 161

11. Promocionar para ser visible y crecer 163

Cuáles son las ventajas de la estrategia
de promoción 163
Cómo dirigir la promoción hacia la conversación ... 165

Cuáles son las claves para un posicionamiento
adecuado 167
Qué es mejor contenido o contenido y promoción..... 169

12. Publicitar la página y sus contenidos 173

Cuáles son las ventajas de la promoción pagada
a través de Facebook 173
Cómo planificar una campaña de promoción
adecuada 177
Qué se puede publicitar y promocionar
de la marca.. 179
Cómo conseguir más rendimiento con menos
inversión... 181
Cuáles son los parámetros de segmentación
más importantes 183
A qué usuario se puede llegar a través
de la promoción pagada 185
Por qué utilizar Facebook Ads en la promoción
de la marca.. 188
Qué coste tiene una campaña de Facebook Ads 190
Cómo promocionar una publicación o pieza
de la página 192
Cómo promocionar la página en Facebook
de la marca.. 195
Cómo aumentar las visitas del sitio Web
de la marca.. 197
Cómo conseguir más asistentes en un evento
de la marca.. 200
Cómo anunciar las ofertas de la página 203
Qué resultados analizar de los anuncios 205

13. Utilizar distintas tácticas de conversión 207

Cómo y con qué aplicaciones realizar concursos
y sorteos.. 207
Cómo utilizar el botón de llamada a la acción
para conseguir conversiones 210

Cómo añadir pestañas personalizadas 212
Cómo incluir nuevas aplicaciones de Facebook 214
Cómo aumentar una lista de suscriptores 215
Cómo integrar un formulario en la página............ 215

14. Vender productos desde la página..................... 217

Cómo se puede comenzar a vender 217
Cómo optimizar una estrategia de venta............... 220
Cuáles son las ventajas que ofrece una Facebook
    Store.. 223
Cómo y con qué convertir "likes" en "buys"........ 224
Cuándo llega la sección Tienda a Facebook 227

15. Medir y analizar la estrategia 229

Por qué es obligado medir y analizar 229
Por qué Facebook Insights..................................... 232
Qué datos se pueden obtener a través
    de Facebook Insights 234
Cómo analizar el contenido para mejorarlo........... 237
Cómo tratar los datos de Facebook Insights y
    hacer reporting 241

Índice alfabético... 245

Introducción

Una estrategia de visibilidad en Facebook paso a paso

Es indudable que apoyarse en Facebook para optimizar una estrategia de visibilidad en redes sociales para la empresa es sinónimo de grandes ventajas: audiencia, servicio, cercanía, evolución, viralidad, promoción, venta, conversación...

Es indudable que, hasta el momento, es la plataforma ideal para construir comunidades, un concepto social imprescindible para compartir y promocionar contenido de valor sobre marcas, productos y servicios. La cercanía con el usuario facilita las acciones que persiguen la viralidad y además permite crear vínculos muy fuertes entre seguidores y marca, lo que aumenta la participación y el *engagement*. Ofrece además otras muchas ventajas a la marca. Facebook puede ser igualmente un gran canal de atención al público, de redireccionamiento hacia una Web o un blog, de venta directa e incluso un vaso comunicante perfecto entre el usuario offline y online de la compañía.

Importante

En los próximos años, a medio plazo, la protagonista absoluta del marketing digital va a ser la estrategia, la estrategia con mayúsculas. Ha llegado la hora de dejarse de pruebas y de obtener conversión, cualquier acción positiva del usuario para los intereses de la marca.

Por otro lado no hay duda alguna de que en los próximos años la protagonista absoluta del marketing digital va a ser la estrategia, la estrategia con mayúsculas. El medio plazo de la visibilidad digital de la marca va a estar liderado por la estrategia en el más amplio sentido de la palabra. Ha llegado el momento de juntar fuerzas e investigar, enfocar y analizar todo lo que está ocurriendo para comenzar un trabajo concienzudo para encontrarnos con el usuario, más allá de simples visitantes, fans y seguidores. Lo dijo Alvin Toffler (@TofflerQuote) "Los analfabetos del siglo XXI no serán aquellos que no sepan leer y escribir, sino aquellos que no sepan aprender, desaprender y reaprender". Pues bien, plataformas como Facebook, herramientas, profesionales, y lo que es más importante, el usuario, no paran de progresar, alterar sus comportamientos y situarse ante al constante cambio que significa vivir en una sociedad como la actual.

Cuáles son las fases a completar para establecer una estrategia de visibilidad efectiva

El éxito de Facebook en el terreno del Marketing Digital está motivado fundamentalmente por la ingente cantidad de público objetivo que la plataforma pone a disposición de campañas y acciones tácticas. La audiencia manda y los millones de perfiles activos son un regalo difícil de rechazar para una marca. Además los departamentos de marketing se ven obligados, cada vez más, a obtener de esa audiencia la temida conversión, una acción positiva del usuario para los intereses de la marca que pueda ser medida y, cada vez más, entendida.

La única respuesta a esto es la correcta elaboración y ejecución de una estrategia de visibilidad en Facebook que permita a la marca establecer, definir e identificar objetivos, enfoques, acciones y tácticas así como diseñar y proyectar labores de investigación, monitorización, posicionamiento, producción de contenido y analítica, entre otros.

Planificar una estrategia efectiva y adecuada en Facebook se basa en implantar un modelo de actuación, un proceso fluido de acciones que tienen como fin obtener una meta, la intención de conseguir llegar a un resultado imaginado desde el principio. Por tanto, la clave de todo es... modelo, modelo y modelo. El hecho de que la marca se enfrente a un proyecto en Facebook, sea cual sea, sin establecer convenientemente una línea estratégica realmente estructurada a partir de un modelo de acción es un riesgo y... una locura.

Cada uno de esos pasos o fases, deben responder a preguntas clave para la consecución de una estrategia adecuada y eficaz para la marca. Son las siguientes:

Tabla 0.1. Las fases de elaboración de una estrategia en Facebook y sus respuestas

FASE	NOMBRE	RESPUESTA
1	Investigación	¿En qué situación se encuentran marca, competencia, sector y mercado?
2	Monitorización	¿Qué se está haciendo, que se está diciendo y quién lo hace y lo dice?
3	Meta	¿Cuál es el propósito final de la iniciativa de visibilidad?
3	Objetivos	¿Qué operativas concretas deben completarse para alcanzar la meta?
4	Planificación	¿Cómo establecer la identidad de la marca en la plataforma?
5	Enfoque	¿Cuál es la fórmula singular de comunicación para conseguir ser relevante?
6	Publicación	¿Qué posibilidad de ser visible es la más adecuada?
7	Usuario	¿Quién es, cómo es, dónde está y qué está haciendo?
8	Configuración	¿Qué debe ver el usuario?

FASE	NOMBRE	RESPUESTA
9	Contenido	¿Qué piezas de comunicación son relevantes para el usuario?
10	Visibilidad	¿Cómo y qué publicar para ser visto?
11	Promoción	¿Dónde estar y cómo estar para conversar e interactuar con el usuario?
12	Publicidad	¿Qué opciones de promoción pagada son adecuadas?
13	Tácticas	¿Qué acciones concretas realizar para conseguir alcanzar los objetivos?
14	Venta	¿Qué hacer para vender?
15	Analítica	¿Qué y cómo se debe medir para optimizar los resultados?

Del mismo modo que lo está un Plan de Marketing tradicional, una estrategia de visibilidad en Facebook debe estructurarse en varias fases, en nuestro caso 15, que son indispensables y complementarias las unas de las otras y que deben llevarse a cabo de manera secuencia. El éxito consiste en completar cada una de ellas según los requisitos de cada uno de los capítulos del libro, que corresponden en número y nombre a cada una de ellas.

Qué fases y procesos son ineludibles

El modelo propuesto de estrategia obliga a definir claramente qué se desea conseguir (meta) y cómo se va a llevar a cabo (promoción, táctica, contenido, etc.). Ese es el objeto real de una estrategia de visibilidad, ser el camino que nos guiará hacia la consecución exitosa de cualquier proyecto, acción o campaña asociada a Facebook.

El documento final debe identificar y definir cada uno de los aspectos importantes que permitirán conseguir la meta propuesta. Por experiencia, cuanto más específico es el desarrollo de la estrategia más eficaz y efectiva es su implementación.

Este modelo paso a paso está pensado para guiar cada una de las acciones de modo que su definición sea concisa y directa, pero sin que se dejen fuera detalles que resulten relevantes a posteriori.

Pues bien, a continuación se especifican la sucesión de procesos o fases que establecen la operativa para delimitar cualquier proyecto a desarrollar para una empresa, marca o incluso persona en Facebook.

1 | Investigación, estudio y auditorías

El mejor modo de sondear, rastrear y conocer lo que está ocurriendo alrededor de la marca en Facebook. Es una fase relevante para aclarar en qué situación se encuentra la marca, la competencia, el sector y los mercados.

Esta información puede consultarse en el capítulo 1.

2 | Monitorización del contenido y la conversación

El mejor modo de conocer datos de suma importancia sobre qué está ocurriendo en Facebook, que se está diciendo y quién lo hace y lo dice.

Es el momento de procesar automáticamente conversaciones, tendencias, acciones, audiencias, etc. También es el mejor modo de perfilar el usuario objetivo de la iniciativa.

Esta información puede consultarse en el capítulo 2.

3 | Establecimiento de metas

El mejor modo de argumentar la razón por la que se quiere dar visibilidad en Facebook a una marca y diseñar una estrategia. Es el propósito final de la iniciativa.

Muy importante, debemos establecer qué queremos conseguir como meta final.

Esta información puede consultarse en el capítulo 3.

4 | Definición de los objetivos

El mejor modo de argumentar las operativas concretas que deben completarse para alcanzar la meta. Muy importante, se deben definir unos objetivos cuantitativos, cualitativos y reales que permitan alcanzarla. Ante todo los objetivos deben poderse definir y medir, de modo que posteriormente sea posible estimar si se han alcanzado o no.

Esta información puede consultarse en el capítulo 3.

5 | Identificación y segmentación de la audiencia

El mejor modo de definir hacia quién se va a dirigir la iniciativa. De algún modo se trata de determinar y delimitar a qué usuario se va a dirigir la comunicación y dónde se encuentra en Facebook.

Se debe detectar quién es, cómo es, dónde está y qué está haciendo.

Esta información puede consultarse en el capítulo 7.

6 | Diseño de un enfoque original

El mejor modo de centrar el posicionamiento de la comunicación de la iniciativa. Es la fórmula para que el mensaje sea bien percibido por el público objetivo de Facebook.

Se trata del marco y el tono de comportamiento de la comunicación, la fórmula singular para conseguir ser relevante para el usuario.

Esta información puede consultarse en el capítulo 5.

7 | Planificación, definición y configuración de la estrategia

El mejor modo de ponerse en marcha y comenzar a trabajar. Con la información recopilada en los anteriores pasos ya es posible comenzar a definir un plan estratégico.

Se trata de indicar dónde estar y cómo estar para conversar e interactuar con el usuario.

Esta información puede consultarse en los capítulos 4, 6 y 8.

8 | Especificación de las acciones tácticas

El mejor modo de cumplir con las acciones en busca de conseguir alcanzar los objetivos planteados anteriormente.

Ahora, ya sí, es el momento de pensar en generación de tráfico, concursos, promociones, ventas, etc.

Esta información puede consultarse en el capítulo 13.

9 | Visibilidad, promoción y publicación de contenido

El mejor modo de concretar qué piezas de contenido son relevantes para el usuario definido anteriormente. Es el momento de decidir cómo y cuándo publicarlas, además de definir las tipologías, conceptos, formatos y, sobre todo, un plan y un calendario editorial de promoción, publicidad, producción y publicación.

El mejor modo de asegurar que la acción comienza y que la estrategia no se va a quedar sin contenido y sin que éste se vea.

Esta información puede consultarse en los capítulos 9, 10, 11 y 12.

10 | Métricas, medición y análisis

El mejor modo de definir los valores que permitirán evaluar si la estrategia se está desarrollando con éxito o qué hacer cuando no se están obteniendo los resultados esperados.

Es decir, qué y cómo se debe medir para optimizar los resultados obtenidos tras la publicación del contenido.

Esta información puede consultarse en el capítulo 15.

Investigar el sector y analizar a la competencia

Qué datos es preciso detectar y conocer

El autor clásico chino Sun Tzu dice en "El arte de la guerra", una obra plagada de ideas estratégicas, que "si no conoces a los demás, ni te conoces a ti mismo, correrás peligro en cada batalla. Conoce a tu enemigo".

Es por esto que la investigación y el análisis de la competencia es el primer proceso, y posiblemente uno de los más importantes, a la hora de establecer una estrategia efectiva de visibilidad en Facebook. La fase de investigación es la oportunidad de parar, mirar, observar y analizar todo y a todos. Solo una vez completada, con el análisis de los datos en la mano, podremos comenzar a construir una andadura acertada que además resulte exitosa.

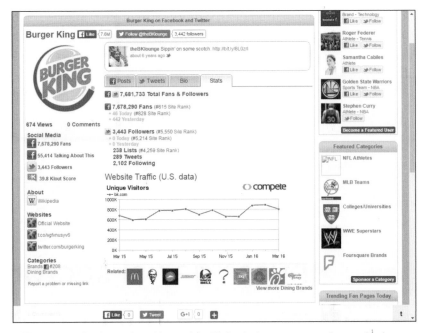

Figura 1.1. La investigación y el análisis de la competencia es el primer proceso, y posiblemente uno de los más importantes, a la hora de establecer una estrategia efectiva de visibilidad en Facebook.

Para la marca es trascendental conocer todos los detalles sobre las acciones que llevan a cabo y los contenidos que publican marcas y sectores alineados con sus intereses. Por tanto es obligado realizar una labor de exploración exhaustiva de los métodos de uso de la plataforma y efectuar una investigación de la situación actual, a modo de auditoría, que permita conocer detalles que en el día a día pueden pasar desapercibidos y que faciliten una posterior toma de decisiones adecuadas.

En Facebook las labores de control e investigación de la competencia se debe orientar a la obtención de métricas de páginas, ya sean de lugares, negocios, empresas, marcas, personas, etc. De algún modo se trata de conocer los máximos detalles sobre el usuario (fans y seguidores), los contenidos (publicaciones) y la actividad (acciones tácticas).

Importante

La recopilación de datos sobre la audiencia de la competencia facilitará enormemente el conocimiento sobre sus estrategias y tácticas y sobre el éxito o fracaso de determinadas acciones que realizan. El análisis posterior de estos datos prepara el camino a las decisiones estratégicas de fases posteriores ya que disponer de información de valor sobre aspectos relevantes va a permitir tomar decisiones a medio plazo bien argumentadas.

Antes de comenzar el proceso, es importante entender que deben recopilarse datos basándose en métricas independientes y diferentes según la variable analizar. Es decir, es importante definir previamente qué pregunta es preciso responder con la investigación para, a continuación, seleccionar y clasificar las métricas que puedan responderla.

Truco

La utilización de plantillas de investigación en formato Excel es una práctica muy extendida y muy útil, ya que permite realizar el seguimiento y la visualización de las métricas de las páginas de Facebook de un modo sencillo, a la vez que es un sistema de seguimiento de fácil actualización.

Básicamente las preguntas fundamentales a las que debe responder con datos un proceso de investigación de la competencia en Facebook son las siguientes:

- ✓ Ritmo de crecimiento de la comunidad de seguidores de la marca rival.
- ✓ Tasa de **interacción** con los seguidores de la competencia.
- ✓ Detalles sobre el **usuario** y la **audiencia** de la competencia.
- ✓ **Contenido** de mayor éxito entre los seguidores de la competencia.
- ✓ Resultados de **acciones** y **campañas**.

Del mismo modo las preguntas básicas a las que debe responder con datos un proceso de investigación de un sector en Facebook son las siguientes:

- ✓ Detección de perfiles y páginas de **influencia** en el sector.
- ✓ Datos de **audiencia** y **comunidad** por productos y servicios.
- ✓ **Contenido** más demandado por la audiencia habitual del sector.

Qué herramientas utilizar

Con respecto a las herramientas, es necesario que sean capaces de ofrecer las métricas necesarias en cada momento. Por ejemplo, una herramienta analítica de auditoría en Facebook debe recopilar los datos en busca de satisfacer una necesidad clara, la de responder a las preguntas sobre el estado actual de una página y sus detalles.

Para cumplir con estas bases es posible acceder a aplicaciones, en muchos casos con opción gratuita, que, si bien no disponen del potencial adecuado para un trabajo de investigación minucioso, sí facilitan métricas de valor para permitir dar los primeros pasos a la hora de analizar contenidos, usuarios y comportamientos en Facebook.

Tabla 1.1. Herramientas para el análisis de la competencia.

NOMBRE	SITIO	DESCRIPCIÓN	PRECIO
Facebook Insights	Facebook.com/ Insights	Analítica	Gratuita
LikeAlyzer	LikeAlyzer.com	Analítica	Opción gratuita
sMetrica	sMetrica.com	Analítica	Opción gratuita
FanPage Karma	FanPageKarma.com	Analítica	Opción gratuita
SumoRank	SumoRank.com	Analítica	Opción gratuita
Simply Measured	SimplyMeasured.com	Analítica	Opción gratuita
Quintly	Quintly.com	Analítica	Opción gratuita
Social Bakers	SocialBakers.com	Datos y estudios	Opción gratuita
Rival IQ	RivalIQ.com	Comparación	$199
Barometer AgoraPulse	Barometer.AgoraPulse. com	Comparación	Gratuita
SimilarWeb	SimilarWeb.com	Detalles de tráfico	Opción gratuita

A la hora de desarrollar una labor de investigación no basta con conocer la herramienta al dedillo, no vale con ser un usuario avanzado de Facebook, es aún más importante saber acercarse a los conceptos que permitan estudiar, desde una perspectiva de marketing, el nuevo perfil de audiencia, de consumidor. Al consumidor de Facebook, al consumidor de las redes sociales, a ese nuevo consumidor que no se parece en nada al tradicional.

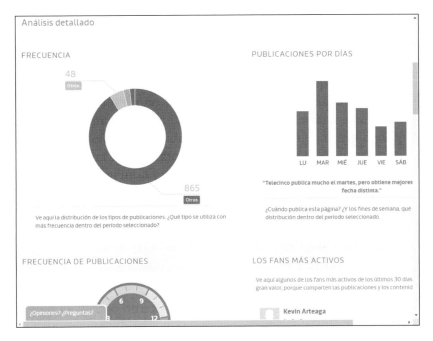

Figura 1.2. No basta con conocer la herramienta al dedillo, es aún más importante saber acercarse a los conceptos que permita estudiar.

Por tanto los procesos de investigación en Facebook deben realizarse a través de herramientas que proporcionen los datos sobre las métricas objeto de estudio. Por tanto puede ser un grave error cambiar constantemente o utilizar distintas herramientas durante un mismo proceso. Utilizar una única herramienta, pudiendo entender que incluso los datos sean estimaciones, nos asegura que la métrica no va a variar y que la variación (error) siempre va a ser la misma, con lo cual podremos estudiar adecuadamente los aumentos y disminuciones de tráfico, las tendencias y la temporalidad.

Truco

Facebook dispone, dentro de las estadísticas de Insights, de una herramienta propia para el seguimiento básico de métricas y analíticas que permite también vigilar las páginas de competidores. Para ello basta con acceder a la sección Páginas en observación situada en la zona inferior de la opción Visión general. Una vez en este apartado, es posible añadir hasta 5 páginas para su seguimiento, de modo que posteriormente se puedan comparar las métricas básicas de rendimiento y publicación con el de la página propia.

Cuánto tráfico dirige Facebook al sitio Web de la competencia

Una de las fórmulas más adecuadas para conocer el impacto que tiene una página de Facebook con respecto a la audiencia de una marca de la competencia es, sin duda, el tráfico que es capaz de redirigir a su sitio Web o a su *blog*. Esto, a la hora de analizar para una posterior toma de decisiones, permite valorar estrategias con respecto a la efectividad de las piezas, el interés del usuario por el contenido y, sobre todo, el peso que tiene Facebook a la hora de redirigir tráfico al sitio Web de la marca.

Llevar a cabo este proceso es muy sencillo. Para ello podemos utilizar una herramienta como SimilarWeb (`SimilarWeb.com`) que dispone de opciones para obtener un informe detallado de los visitantes procedentes de las redes sociales, así como el porcentaje exacto de visitas de cada una de ellas, entre las que se encuentra Facebook.

POR EJEMPLO. Si realizáramos una labor de investigación de la marca Adidas, bastaría con introducir en SimilarWeb su sitio (`Adidas.com`) y acceder al apartado Social, situado en el icono de la izquierda. Gracias a esto podríamos observar que sólo el 4,67% del tráfico del sitio Web procede de redes sociales y, de ese porcentaje, sólo el 33,80% viene de Facebook.

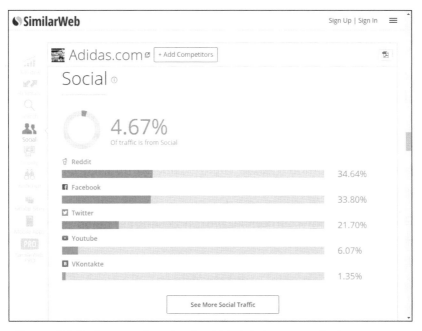

Figura 1.3. Podemos valorar la efectividad de la estrategia de una marca en Facebook, entre otros, conociendo los datos sobre el tráfico procedente de la plataforma social en su sitio Web o blog.

Herramienta imprescindible

SIMILAR WEB. De gran potencia, ofrece análisis del tráfico de un sitio Web y permite investigar un buen número de métricas cuantitativas y cualitativas sobre los usuarios de la competencia. Gracias a ella se puede obtener la evolución del trafico de un sitio Web durante los últimos seis meses, así como la fuente del tráfico (directo, referencia, búsqueda, social, etc.). En el apartado social ofrece un informe detallado con la distribución de los visitantes provenientes de las redes sociales, así como el porcentaje exacto de visitas de cada una de ellas, incluido Facebook. Esto, a la hora de realizar un proceso de investigación, permite valorar y establecer qué porcentaje de tráfico dirige Facebook a un determinado sitio Web.

(SimilarWeb.com) Dispone de opción gratuita.

Cómo conocer la tasa de *engagement* de una página

Según muchos de los estudios más prestigiosos realizados hasta el momento con respecto a este tema, Facebook se ha convertido en una de las herramientas más importantes para las marcas a la hora de generar compromiso (*engagement*) por parte del usuario y de aumentar la relación del fan hacia sus productos. Sin embargo la medición y el análisis del *engagement* siempre resulta ser una labor confusa. De algún modo debe combinar el procesamiento automático de conversaciones reales con un tratamiento en el contexto real para ofrecer la actitud del usuario, algo aparentemente sencillo pero que no lo es en absoluto.

Si realizamos el proceso de investigación de una página de Facebook, por ejemplo, con LikeAlyzer (`LikeAlyzer.com`), la herramienta calculará la tasa de *engagement* de un modo muy básico, dividiendo el PTAT (*People Talking About This*) por el número de Me gusta totales.

Otra herramienta como Fan Page Karma (`FanPageKarma.com`) sin embargo, obtiene una "especie" de *engagement* a través de un índice de rendimiento calculado a través de la combinación del valor Actividad y del crecimiento del número de "Me gusta" de la página.

Por tanto, son varias las herramientas capaces de ofrecer un dato con respecto a la tasa de *engagement* de una página de Facebook, pero no todas formulan del mismo modo su resolución. Es decir, por desgracia, muchas herramientas de analítica de competencia utilizan métricas y operadores distintos para ofrecer esta métrica. De modo que para calcular la tasa de *engagement* y realizar un proceso de investigación adecuado se debe utilizar siempre la misma herramienta.

Conocer la tasa de *engagement* de una página es un proceso muy sencillo. Utilizando una herramienta como LikeAlyzer (`LikeAlyzer.com`) se dispondrá de un informe muy detallado de las métricas más importantes de la página investigada, pudiendo acceder también a lo que la aplicación llama Grado de compromiso.

POR EJEMPLO. Si realizáramos una labor de investigación de la marca Mercadona, bastará con introducir la dirección de la página en LikeAlyzer y acceder al apartado Evaluación de la página. En él se sitúa la opción Grado del compromiso que ofrece un dato porcentual para mostrar la métrica, en este caso 0,57%. Gracias a él, y tal como indica la herramienta, podríamos obtener el análisis de que se trata de un resultado pobre, ya que se precisa estar por encima del 7% para que se refleje el éxito de una página en cuanto al compromiso del usuario.

Figura 1.4. El compromiso del usuario con una marca en Facebook se puede medir a través de la tasa de engagement que ofrecen algunas herramientas.

Herramienta imprescindible

MELTWATER LIKEALYZER. Es una de las herramientas más potentes a la hora de analizar la actividad de páginas competidoras en Facebook. Se trata de una aplicación muy sencilla de utilizar que realiza un informe detallado con las métricas más relevantes de cualquier página de Facebook. Los resultados son fáciles de ver e interpretar y muestra datos sobre la valoración de la página examinada, información general del rendimiento, número de seguidores, el crecimiento de seguidores, el ratio de *engagement*, datos sobre el número de publicaciones, tipos de piezas, publicaciones más relevantes, resultados generados, etc. Todo esto se presenta en un único informe, de un modo rápido y conciso.

(`LikeAlyzer.com/es`) Dispone de opción gratuita.

Cómo obtener la tasa de crecimiento de "Me gusta"

Ya se ha indicado anteriormente que durante el proceso de investigación es preciso recopilar información y métricas concretas sobre la evolución de la competencia y, especialmente, obtener datos referentes a la evolución de su audiencia ("Me gusta") y sus características.

La tasa de crecimiento de fans de una página es, sin duda, una métrica de gran relevancia, pero lo es sobre todo cuando es posible alinearla con acciones o campañas. Es decir, habitualmente, el aumento o la disminución de la audiencia de una página en Facebook están provocadas por factores que tienen que ver con acciones tácticas puntuales: un concurso, una pieza de contenido, un servicio, etc.

Para obtener la tasa de crecimiento de "Me gusta" basta con utilizar una herramienta como sMetrica (`sMetrica.com`), que proporciona datos sobre lo que la aplicación denomina Variación de fans. En este apartado ofrece la evolución de la audiencia durante las últimas 24 horas, 7 días y 30 días.

POR EJEMPLO. Si realizáramos una labor de investigación de la marca Logitravel, bastará con acceder a sMetrica e introducir el nombre de la marca "Logitravel" en la casilla de búsqueda. Una vez seleccionado el enlace correspondiente, se podrá visualizar el apartado Variación de fans en el que se obtienen los datos correspondientes. Para ajustar los datos de la tasa de crecimiento a un período concreto basta con modificar las opciones Desde y Hasta del apartado Buscar. En nuestro caso, si realizamos la acción entre el 01/04/2016 y 15/04/2016 se muestran datos de +200 (+0,25%) en las últimas 24 horas, +1.740 (+2,16%) en los últimos 7 días y +5.500 (+6,83%) en los últimos 30 días.

Figura 1.5. La tasa de crecimiento de fans de una página es, sin duda, una métrica de gran relevancia, pero lo es sobre todo cuando es posible alinearla con acciones o campañas.

Herramienta imprescindible

SMETRICA. Se trata de una opción de gran potencia para el seguimiento de páginas de Facebook. Ofrece métricas de gran valor para el análisis de la competencia como la evolución del numero de fans, evolución de las "personas hablando de esto", variación del número de fans y variación de las "personas hablando de esto", publicaciones, comentarios recibidos, me gustas recibidos, publicaciones compartidas de la marca y un resumen de interacción de la marca y de los usuarios.

(sMetrica.com) Dispone de opción gratuita.

Cuál es el modo de comparar comunidades de fans

Como más adelante se explicará el usuario debe ser el único y auténtico protagonista de una estrategia de visibilidad en Facebook. Por tanto uno de los momentos decisivos dentro de un proceso de investigación en Facebook es cuando llega la hora de analizar al fan, al público objetivo, en resumen, a la audiencia.

¿Por qué es tan importante? Muy sencillo. Una buena investigación sobre el usuario y sus necesidades, puede facilitar enormemente la posterior fase de segmentación del público objetivo de la acción en Facebook y, por lo tanto, que se puedan orientar de un modo mucho más eficaz las estrategias y tácticas de la marca.

Importante

Los datos sobre la competencia por sí solos no significan nada. Su valor viene dado por el tratamiento, la estructuración y el análisis. Sólo a través del estudio de los valores de las métricas obtenidos podremos crear conocimiento y, a continuación, vendrá la toma de decisiones y la implementación de las estrategias adecuadas en la página propia de la marca.

Básicamente, el número de "Me gusta" es el indicador de referencia a la hora de comparar las comunidades de páginas en Facebook. Sin embargo son de gran relevancia métricas como la evolución diaria y semanal, la actividad e incluso la interacción de publicaciones.

Para obtener estos datos basta con utilizar una herramienta como Fan Page Karma (FanPageKarma.com), que proporciona un *dashboard* de datos comparativos que puede incluir información de hasta 10 páginas para su comparación. Gracias a esta tabla es posible visualizar e importar informes con métricas como el número de fans, evolución semanal, actividad, interacción, publicaciones, etc.

POR EJEMPLO. Si realizáramos una operativa para comparar los detalles de las comunidades en Facebook de equipos de fútbol como el Atlético de Madrid y el Valencia, es necesario acceder a Fan Page Karma y registrarse con un perfil personal de Facebook. Una vez hecho esto bastará con acceder al menú superior Cuadro de mando e introducir los nombres de las páginas de ambos equipos en la opción Añadir perfiles. Una vez hecho esto se podrá visualizar la tabla con las métricas referentes a las dos comunidades de seguidores. Para personalizar los datos es posible acceder a la opción Selecciona indicadores de desempeño, de modo que es posible elegir las métricas deseadas para que aparezcan en la tabla. Posteriormente es posible exportar los datos a Excel y los gráficos a PDF y PowerPoint.

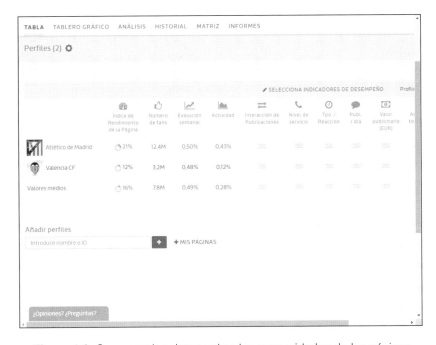

Figura 1.6. Comparar los datos sobre las comunidades de las páginas en Facebook ofrece información de gran relevancia a la hora de trazar estrategias para aumentar la audiencia.

Herramienta imprescindible

FAN PAGE KARMA. Se trata de una herramienta para la obtención de datos de páginas Facebook para su posterior análisis. Es una aplicación muy recomendable para conocer detalles sobre la estrategia de gestión de contenidos y comunidad de una marca. Proporciona información vital para el seguimiento de competidores y el desarrollo de sus acciones. Además permite exportar los datos a Excel y opciones para la generación de informes avanzados.

(`FanPageKarma.com`) Dispone de opción gratuita.

Qué número de clics tienen los enlaces en publicaciones

Uno de los recursos más simples para, por ejemplo, investigar el tráfico generado, la viralidad, el interés del usuario y, por lo tanto, el resultado de muchas acciones en Facebook de la competencia, es el aprovechamiento de los enlaces acortados en el contenido de sus publicaciones.

La operación es simple. Basta con añadir un signo + al final de una dirección acortada publicada por la competencia en alguna de sus plataformas sociales. De este modo se accede inmediatamente a las estadísticas de su uso del enlace. Se puede acceder a conocer la dirección de destino, la fecha de creación del enlace, el número de clics, el origen del tráfico generado e incluso la distribución geográfica de los usuarios que han hecho clic sobre el enlace, entre otros.

Sólo existe un pequeño inconveniente, el truco sólo funciona en las direcciones creadas con los dos acortadores más utilizados: Bitly (`Bit.ly`) y Google URL Shortener (`Goo.gl`).

POR EJEMPLO. Si quisiéramos conocer detalles sobre el comportamiento de un enlace de la marca Chupa Chups en Facebook bastará con copiar el enlace acortado al portapapeles, en este caso (`http://bit.ly/1U57jne`*) y añadir el signo + del siguiente modo (*`http://bit.ly/1U57jne+`*).*

Figura 1.7. Un enlace acortado con Bit.ly o Goo.gl es un buen "cliente" para conocer algunos detalles sobre el comportamiento del usuario ante el contenido de otras páginas en Facebook.

Análisis del contenido y la interactividad

Nos encontramos en un momento en el que existe una euforia desatada por las posibilidades de Facebook con respecto a las estrategias de visibilidad social, motivadas en gran medida por lo "golosos" que resultan los ratios de audiencia, *engagement* y viralidad.

Por si esto fuera poco los datos y estudios sobre Marketing de Contenidos y de cómo afecta al *engagement* del usuario para con la marca son realmente optimistas y permiten sacar conclusiones positivas sobre cómo los contenidos son la llave para llegar al usuario, por mucho que pueda parecer una labor difícil.

Por esto investigar para tratar de identificar el tipo de información que es realmente atractiva para la audiencia es una labor de gran importancia para un posterior trabajo de diseño de contenidos. Es el único modo de conocer qué piezas de contenido pueden ser relevantes y útiles para el usuario objetivo de la estrategia de visibilidad en Facebook de la marca.

Para obtener estos datos sobre el contenido de la competencia lo ideal es utilizar una de las herramientas gratuitas de *reporting* que ofrece Simply Measured (`SimplyMeasured.com`), concretamente la denominada Facebook Content Analysis. Esta opción proporciona un informe realmente pormenorizado que incluye los datos de las métricas más relevantes con respecto al contenido de los últimos quince días de publicación de la página elegida. Gracias a este documento es posible visualizar y exportar los datos con respecto a número de publicaciones, "Me gusta" por publicación, *engagement* por publicación, comentarios, contenidos compartidos, tipos de contenido, horarios de publicación, longitud de las publicaciones y piezas de más éxito, entre otros muchos.

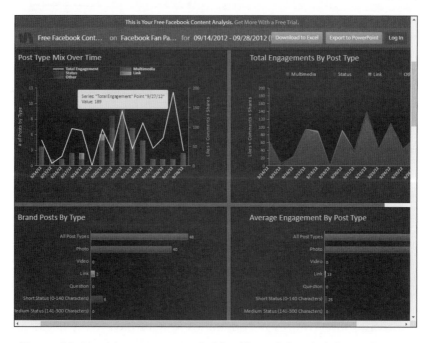

Figura 1.8. Investigar para tratar de identificar el tipo de información que es realmente atractiva para la audiencia es una labor de gran importancia para un posterior trabajo de diseño de contenidos.

POR EJEMPLO. Si realizamos una acción para obtener los detalles de publicación en Facebook de una página sobre gastronomía como Comer Japonés (Facebook.com/ ComerJapones), es necesario acceder al menú Free Tools de Simply Measured (SimplyMeasured.com). Una vez hecho esto bastará con pulsar sobre la opción Facebook Content Analysis e introducir el nombre en la casilla Enter the Facebook Page to Analize y seguir las instrucciones. Una vez hecho esto se podrá visualizar el informe avanzado con las métricas referentes al contenido. Posteriormente es posible exportar los datos a Excel y a PowerPoint.

Dónde encontrar más datos sobre países y sectores

Figura 1.9. Social Bakers (SocialBakers.com) permite acceder de un modo gratuito a la información por países y sectores de páginas Facebook.

Si realizar una auditoría de la competencia y de sus acciones es sumamente importante para disponer de información relevante para nuestra estrategia en Facebook, no lo es menos conocer al detalle la situación, evolución y tendencia de sectores y nichos que, de algún modo, pueden afectar al día a día de la marca en la plataforma social.

La cantidad de información online de que disponemos y la facilidad para acceder a ella está revolucionando el modo en que, incluso pequeñas marcas, pueden realizar estudios de mercado y sectores. Esto hasta hace muy poco era una opción sólo disponible para profesionales y resultaba muy costosa, imposible para compañías sin recursos.

Como muestra un botón: ¿Qué están haciendo otras marcas en Facebook? No se trata de copiar, se trata de ver lo que es posible hacer con diferentes presupuestos para "inspirarnos" en nuestras propias estrategias.

Figura 1.10. Tenemos a nuestra disposición plataformas gratuitas que ofrecen información de gran relevancia a la hora de comparar páginas, conocer la previsión de su crecimiento o disponer de un informe detallado de características.

Para hacernos una pequeña idea de cómo han optado por centrar sus esfuerzos en Facebook, lo más sencillo es acceder de un modo gratuito a la información por países y sectores que incluyen los *rankings* que ofrece Social Bakers (SocialBakers.com).

También Social Numbers (SocialNumbers.com) es una plataforma que ofrece información de gran relevancia. Gracias a ella es posible disponer de un perfil gratuito a través del cual comparar páginas, conocer la previsión de su crecimiento, acceder a página similares y disponer de un informe detallado de toda la información.

En esta misma línea se encuentran espacios como PageData (PageDataPro.com) que permite, entre otros, obtener datos históricos sobre la interacción y el *engagement* del usuario de varios millones de páginas en Facebook para facilitar conocimiento sobre competidores específicos, industrias y sectores.

Por último es ideal aprovechar espacios como el que ofrece Fan Page List (FanPageList.com), un directorio que permite acceder a datos y estadísticas sobre las cuentas oficiales de marcas, sectores, compañías, servicios, etc.

Herramienta imprescindible

SOCIAL BAKERS. Es una aplicación de gran potencia que ofrece informes estadísticos en tiempo real sobre páginas y aplicaciones en Facebook. Ofrece datos sobre los usuarios, divididos por países y continentes, con segmentación por edades, sexo e incluso el coste de los anuncios dentro de la plataforma. Es muy interesante para investigar y entender cómo utiliza la plataforma social la competencia.

(SocialBakers.com) Dispone de opción gratuita.

2

Monitorización del contenido y la conversación online

Por qué hay que monitorizar

Básicamente, llevar a cabo un proceso de monitorización es la única posibilidad, junto con la propia analítica, de valorar, controlar e impulsar la evolución de la estrategia de visibilidad de la marca en Facebook.

¿Por qué debe monitorizarse el contenido y la conversación, entonces? Muy sencillo, es el modo más adecuado de obtener un control absoluto sobre todo lo que ocurre en Facebook que pueda sumar conocimiento a la marca. Hay que tener en cuenta que cada publicación, comentario o conversación en la plataforma social asociada a la marca puede afectar la evolución de ésta.

Truco

Si no se dispone de un presupuesto para esta labor, es posible utilizar herramientas gratuitas que ofrecen características de monitorización básica razonables para la gran mayoría de las marcas.

Herramienta imprescindible

SOCIAL SEARCHER. Facilita la búsqueda, monitorización y alertado de contenidos en Facebook a través de palabras clave en el contenido. Incluye un potente apartado de analítica con datos sobre métricas generales, de sentimiento, temporalidad y *hashtags* utilizados. Además es posible exportar el contenido en formato .CSV, para su importación a Excel, y por cada búsqueda se genera un *feed RSS* para su seguimiento a través de un lector como Feedly. Probablemente una de las herramientas más útiles por su facilidad de uso y efectividad para la monitorización básica en Facebook.

(`Social-Searcher.com`) Opción gratuita.

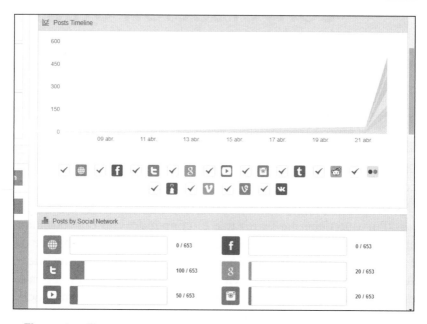

Figura 2.1. El proceso de monitorización es una labor de seguimiento, escucha y control que aporta valor y conocimiento a la marca en tiempo real, algo difícil de rechazar.

Tanto si hablamos de una gran compañía como si se trata de un pequeño negocio, la excelencia total para la marca se alcanza cuando el proceso de monitorización y escucha pasa, de ser una simple tarea, a convertirse en una actitud. En este caso se establece una forma de hacer las cosas en la que el usuario se sitúa siempre en el centro, por su suma importancia, y la marca se enfoca hacia la mejora estratégica, gracias al conocimiento sobre él, para disponer de una confianza máxima a la hora de tomar decisiones y aprovechar todas las oportunidades.

Qué ventajas ofrece a la marca

Básicamente el objetivo de toda estrategia de escucha es poder recabar datos y analizarlos en busca de respuestas. Por tanto se pueden resumir todas las ventajas de establecer un proceso de monitorización de una marca en una sola: la obtención de conocimiento.

El proceso de monitorización ofrece mucho más valor global a una estrategia en Facebook del que se le suele admitir. Se trata de un importante proceso de seguimiento, escucha y control que aporta valor y conocimiento a la marca en tiempo real, algo difícil de rechazar.

Importante

Se puede y se debe poner en marcha el proceso de monitorización incluso antes de comenzar a tener visibilidad con una página en Facebook. Cuanto antes se tenga control y conocimiento sobre la conversación mucho mejor.

Día a día son millones las publicaciones y conversaciones diarias que expresan una emoción, un deseo o una necesidad en Facebook. Por esto es clave disponer de herramientas que ofrezcan datos cualitativos con los que anticiparse a los hechos y ser proactivos en la detección de las necesidades de la audiencia.

¿Qué valor aporta entonces a la marca diseñar un proceso de monitorización apropiado en Facebook? Estos son algunos de los beneficios más importantes:

- ✓ Permite identificar y **segmentar** a la audiencia.
- ✓ Facilita el seguimiento de la **reputación** digital.
- ✓ Propicia la detección de usuarios **influyentes** (*influencers*).
- ✓ Recopila toda la actividad de la **competencia** para su análisis.
- ✓ Adquiere de la audiencia **conceptos clave** ligados a la marca.
- ✓ Activa la detección y seguimiento de nuevas **tendencias**.
- ✓ Intensifica la prevención ante posibles **crisis** online.
- ✓ Obtiene **información** relevante en tiempo real.

Qué conceptos es preciso conocer para comenzar

La monitorización es un proceso automatizado que facilitará, a través de herramientas específicas, datos relevantes obtenidos de los contenidos mostrados por Facebook que nos van a permitir analizar y estudiar en detalle las publicaciones y conversaciones, descartando el ruido.

Figura 2.2. La monitorización puede también ser un proceso global, también pueden estar incluidas el resto de redes sociales, e incluso la Web.

Sin embargo, antes de establecer el proceso y de utilizar cualquier herramienta de monitorización, por potente que sea, es preciso conocer algunos de los conceptos que más se utilizan a la hora de configurar, diseñar y personalizar la estrategia de escucha.

La palabra clave, término o "keyword"

Habitualmente nos referimos a palabra clave, término o "*keyword*" como a un texto, o una combinación de textos, ya sean palabras sueltas, frases, nombres, etc. que sirven como identificador para crear una consulta que ofrezca como resultado una mención.

> *POR EJEMPLO. Si se monitoriza las palabras clave "RUEDAS MICHELIN", se obtendrán como resultado menciones de cualquier tipo de publicación, contenido o comentario que contengan las dos palabras.*

La consulta o "query"

Una consulta o "*query*" es una línea de texto, formada por una palabra clave o un conjunto de ellas, que toda herramienta de monitorización utiliza para rastrear Facebook en busca de menciones. Su estructura de código puede resultar tan sencilla o complicada como sea necesario, ya que una consulta puede construirse a través de varias palabras clave que sean complementadas por distintos operadores booleanos (como "*and*", "*or*", etc).

> *POR EJEMPLO. Si se monitoriza la palabra clave "MICHELIN", en busca de datos sobre la marca de neumáticos, dará como resultado cualquier tipo de mención que contenga el término "MICHELIN". Para conseguir una mención más específica y ajustada a los intereses de la compañía de origen francés, podemos realizar la siguiente consulta: (MICHELIN NOT ("dieta" OR "grasa" OR "gordo") para que sean eliminadas todas las menciones a temáticas alejadas del mundo del neumático.*

La mención

El concepto clave sobre el que se sustenta todo proceso de monitorización es la mención. Una mención es toda aquella publicación en Facebook que coincide con una consulta o "*query*" previa y que aparece como resultado de una búsqueda de palabras clave en una herramienta de monitorización.

> *POR EJEMPLO. Si se monitoriza la palabra clave "MICHELIN" se obtendrán como resultado menciones de cualquier tipo de publicación, pieza, comentario, etc. que contenga el término "MICHELIN" en todos los contenidos indexados por Facebook a partir del momento en que se puso en marcha la consulta, no antes.*

Importante

Debemos tener en cuenta lo siguiente. El término mención, a la hora de realizar un proceso de monitorización, no tiene el mismo significado que dentro de la plataforma Facebook. Es decir, una mención en Facebook es introducir el nombre exacto de una marca y etiquetarla para que ésta sepa que se está hablando de ella, mientras que en un proceso de monitorización profesional es el resultado de la consulta de una palabra clave que no tiene porqué ser el nombre de la marca.

Herramienta imprescindible

TALK WALKER. Realiza labores de escucha de conversaciones en Facebook de un modo muy consistente y seguro. Aporta además opciones potentes de monitorización, analítica y *reporting*, tanto propio como de la competencia. También ofrece otras herramientas gratuitas como un buscador de menciones denominado Free Social Search.

(TalkWalker.com) Opción gratuita.

Qué herramienta es la más adecuada

Existen muchas y variadas aplicaciones de monitorización y seguimiento, de todos los estilos y colores. Sin embargo, es un hecho que no todas pueden cumplir con los requisitos particulares de cada proyecto, marca o estrategia, como por ejemplo cuando se trata de compañías con decenas de marcas y varios miles de menciones. De hecho muchas de las herramientas existentes, hay cientos, no son una alternativa viable para depende qué tipo de acciones ya que no logran responder a necesidades en cuanto a número de menciones, opciones de analítica, tratamiento de datos, opciones de *reporting* o tratamiento de los datos.

Herramienta imprescindible

BUZZ MONITOR. Posiblemente sea una de las herramientas más potentes y versátiles de monitorización de las conversaciones en Facebook. Su enfoque está más centrado en el usuario, en la escucha y en la monitorización basada en detectar los aspectos clave de las necesidades del usuario y su implicación con la marca. Cuenta con características para disponer de todo tipo de *dashboards* personalizados, distintas opciones de *reporting*, social CRM, datos históricos, clasificación de conversaciones y tratamiento de las interacciones.

(BuzzMonitor.es) Opción gratuita.

En otros casos, el contar con modestos recursos económicos, obliga a diseñar el proceso de monitorización basándose en la utilización de aplicaciones de bajo coste, *Freemium* e incluso gratuitas.

Actualmente existen algunas herramientas, de indudable potencia, que permiten realizar tareas de monitorización sin problemas, de un modo muy económico y pudiendo abarcar todas las labores de seguimiento y escucha. De este modo la aplicación elegida permitirá acceder a las menciones objeto del análisis en Facebook.

Figura 2.3. Se disponen de herramientas, como BuzzMonitor (BuzzMonitor.es) que ofrecen grandes capacidades para la escucha en Facebook, con opciones incluso gratuitas.

Tabla 2.1. Herramientas de monitorización

NOMBRE	SITIO	DESCRIPCIÓN	FREEMIUM	PRECIO
BuzzMonitor	BuzzMonitor.es	Monitorización/ Alerta	Sí	$390
Mention.com	Mention.com	Monitorización/ Alerta	14 días	$29
TalkWalker	TalkWalker.com	Monitorización/ Alerta	No	$700
Brand24	Brand24.net	Monitorización/ Búsqueda social	14 días	$49
Social Searcher	Social-Searcher. com	Búsqueda/ Monitorización	Sí	$3,5
Social Mention	SocialMention. com	Búsqueda	Sí	-
Sociack	Sociack.com	Búsqueda/Alerta	Sí	$10
TagBoard	TagBoard.com	Dashboard de búsqueda	Sí	-
Addict-o-matic	Addictomatic. com	Dashboard de búsqueda	Sí	-

La selección de las herramientas adecuadas es, posiblemente, una de las decisiones más importante del proceso de monitorización. El éxito o fracaso de una estrategia de seguimiento, en gran medida, depende de elegir adecuadamente las herramientas para adquirir y posteriormente administrar los resultados, y de que éstas ofrezcan la potencia y versatilidad adecuadas. En esta ocasión podría decirse que más es menos. Cierto es que podemos emplear tantas aplicaciones como sean necesarias, pero si son excesivas dificultará enormemente el proceso. Si es posible cubrir las necesidades con un número menor de herramientas, mejor que mejor.

Herramienta imprescindible

SOCIAL MENTION. Basada en un buscador de conversaciones, es una herramienta que ofrece enormes posibilidades y que ofrece la posibilidad de realizar búsquedas generales o especificar los espacios y redes de interés, cerrando los resultados sólo, por ejemplo, a Facebook. También muestra datos, entre otros, sobre la frecuencia de las menciones, el tiempo transcurrido desde la última mención, los autores, etc. Ofrece todo tipo de opciones de exportación de datos.

(`SocialMention.com`) Gratuita.

Cómo y que debemos buscar de la marca

Una de las acciones que cobra suma importancia es la que consiste en definir qué deseamos monitorizar en Facebook y a través de qué *keywords* (conceptos, palabras, *hashtags*, *claims*, etc.). De algún modo se trata de realizar un proceso de recolección de palabras o un conjunto de ellas gracias a las cuales nada de lo concerniente a nuestra marca, producto o servicio pueda ser pasado por alto por las herramientas utilizadas durante el proceso. Lógicamente, debemos tener en cuenta el carácter de la fuente de datos a monitorizar, de modo que el proceso para determinar el tipo de mención no puede ser el mismo en caso de que se trate de una pequeña marca, un servicio online o un producto internacional.

POR EJEMPLO. En el caso de que nuestro ejemplo se centrase en monitorizar todas las menciones correspondientes a una compañía como Media Markt, claramente deberíamos automatizar la búsqueda de menciones de su marca "Media Markt" pero no debemos olvidar abrir mucho más el objetivo y tener en cuenta también los servicios, productos y campañas alineados con la empresa. Muy básicamente, incluir el claim *"Yo no soy tonto" sería más que acertado, así como* keywords *cercanas a sus eslogans. Tampoco estaría de más pensar en plantearse situaciones a monitorizar cercanas a, por ejemplo, la persona protagonista de su publicidad "Arturo Valls" y de manera muy especial realizar un seguimiento significativo a conceptos cercanos a campañas activas como "No es país para tontos" o acciones puntuales como "La carrera del Gran Sinpa".*

Cómo obtener datos cualitativos de la marca

Aunque es algo que habitualmente se deja de lado, es importante incluir en todo proceso de monitorización cierto componente de analítica cualitativa. Cada vez es más cierto que la consideración de una mención tiene que ver con todo aquello cercano a las métricas de *engagement*, sentimiento y valoración.

Importante

Las aplicaciones más potentes de monitorización incluyen características de analítica semántica, es decir, opciones de escucha con capacidad para procesar publicaciones y conversaciones de todo tipo y extraer, en tiempo real, características temáticas, opiniones, sentimientos, etc.

Por tanto es fundamental que, ya sea por medio de herramientas capaces de analizar semánticamente las conversaciones o a través de la estructura de los conceptos clave elegidos, podamos detectar si el signo de la mención es positivo o negativo. De todos modos, cuidado con el tratamiento de los datos que hacen algunas de las actuales herramientas de monitorización, tratar de valorar el sentimiento de un mensaje a través de la evaluación de las palabras que lo componen, a veces juega malas pasadas.

> *POR EJEMPLO. Continuando con el ejemplo anterior de monitorización de la marca Media Markt, podría ser interesante conocer alguna métrica cercana a las sensaciones de los clientes sobre sus productos y precios. Si añadimos a la monitorización de la* keyword *"Media Markt" conceptos como "barato" o "caro", posteriormente podremos evaluar en los resultados el sentimiento del cliente con respecto al precio de la marca. Si queremos ser aún más precisos lo podríamos hacer con productos determinados incluyendo keywords como "televisor" y "barato" o "muy caro". También podríamos incluir una estructura que incluyera "Media Markt", "Ps4", "más barata", "cara", "oportunidad"...*

Qué monitorizar de la competencia

La información es poder y se trata de una opción fundamental que no se puede ni se debe dejar pasar cuando se busca mejorar y optimizar una estrategia en Facebook.

Por tanto, aunque tampoco es bueno obsesionarse con las marcas competidoras, es siempre obligado establecer labores de investigación que permitan obtener datos relevantes la posterior toma de decisiones.

Cualquier esfuerzo encaminado a monitorizar en medios sociales a la competencia va a resultar siempre beneficioso, del mismo modo que es una labor completamente ética, ya que cuanto más se conoce sobre un determinado sector, incluyendo a la competencia, mejor se podrán optimizar las labores estratégicas y tácticas posteriores.

¿Cuáles son las métricas relevantes a tener en cuenta para controlar de cerca a nuestra posible competencia? Podríamos plantear decenas, pero las más importantes deben ofrecer datos claros sobre:

✓ Seguidores, fans, lectores, amigos... (comunidad).
✓ Ratio de contenido compartido (viralidad).

✓ Frecuencia de publicación (actividad).

✓ Ratio de valoración de comentarios (sentimiento).

✓ Identificación de usuarios más activos.

✓ Identificación de *influencers*.

✓ Identificación de contenido exitoso.

Figura 2.4. Gracias a la monitorización es posible, por ejemplo, procesar comentarios positivos y negativos hacia la marca y conocer sus detalles.

A qué responden las menciones recogidas

Básicamente se podría decir que el proceso de análisis de datos en Facebook resultará efectivo siempre y cuando se detecten las conversaciones relevantes, dejando de lado el ruido, y tratando los datos para conseguir métricas y *KPIs* que respondan a las preguntas adecuadas para el posterior establecimiento de objetivos y diseño de estrategias.

Los datos resultantes de una monitorización son muy valiosos, mucho, pero solo cuando posteriormente se realiza un análisis efectivo, es decir, que no muestre únicamente resultados cuantitativos sino que sea capaz de interpretar acciones en busca de soluciones y respuestas cualitativas.

Es un hecho, los datos por sí solos no significan nada. Su valor viene dado por el tratamiento, la estructuración y el análisis según los objetivos previos de la monitorización. Sólo a través del estudio de los valores de las métricas obtenidos podremos crear conocimiento y, a continuación, vendrá la toma de decisiones y la implementación de las estrategias y tácticas adecuadas.

Tabla 2.2. Qué métricas ofrecen respuestas.

INDICADOR	MÉTRICA
Popularidad	Alcance de las menciones.
Sentimiento	Consideración positiva, negativa o neutra de la mención.
Relevancia	Ratio menciones/menciones positivas.
Influencia	Recomendaciones
Crecimiento	Variación del alcance de las menciones.
Conversación	Ratio menciones/diálogo.

Como resumen conviene indicar que el valor de la monitorización lo marca el nivel de escucha activa. Es muy importante oír y percibir, para de este modo poder determinar el impacto de términos, conceptos y tendencias que aparecen en las conversaciones de Facebook y que pueden resultar claves para un determinado proyecto.

Cómo preparar los datos para interpretarlos a través del reporting

De nada sirve desarrollar una estrategia efectiva y trabajar adecuadamente en los puntos anteriores si la recopilación de datos realizada a través de las herramientas no se convierte finalmente en analítica y valor. Lo más sencillo es no dar mayor importancia a menciones o conceptos que no conlleven una respuesta o una pequeña crisis de marca, sin embargo toda la información recogida de Facebook es una importante base de conocimiento. Es el mejor modo de entender las necesidades del usuario y de qué modo valora la marca y sus actuaciones. De hecho no es lógico menospreciar los datos recopilados, pensemos mejor en cómo trasladarlos a informes que puedan ser consultados y evaluados por todo aquél que pueda convertirlos en conocimiento.

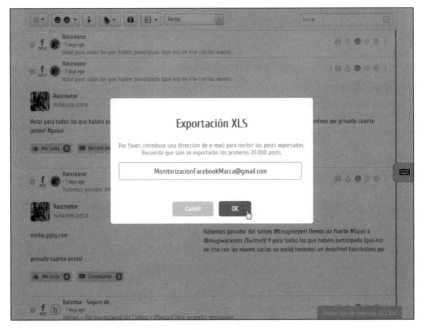

Figura 2.5. Se deben tener muy en cuenta las capacidades de exportación de datos de la herramienta de monitorización, que faciliten el tratamiento posterior de la información.

Truco

La utilización de plantillas en formato Excel, con los datos aportados por las herramientas de monitorización, es una práctica muy adecuada y útil, ya que permite realizar el seguimiento y la visualización de las métricas de un modo personalizado, a la vez que es un sistema de *reporting* de manejo sencillo y fácil actualización.

Por tanto a la hora de seleccionar las herramientas de monitorización adecuadas se debe tener muy en cuenta si las aplicaciones elegidas disponen de opciones de exportación de datos y valorar su utilidad. Es habitual que muchas de ellas ofrezcan la posibilidad de exportar sus resultados a formatos como CSV, XLS o PDF, lo cual facilita en gran medida el posterior trabajo de *reporting* y la posterior interpretación de los datos obtenidos de Facebook.

3

Establecimiento de metas y objetivos

Por qué Facebook y no otra plataforma social

Desde el punto de vista de la gestión de una marca la utilización de Facebook en estrategias de visibilidad social, como herramienta de marketing de contenidos, comienza a ser una "verdad verdadera". Hasta ahora, fundamentalmente por encontrarse en pleno crecimiento y desarrollo, las iniciativas desarrolladas bajo la plataforma tenían más que ver con un método prueba-error que con estrategias realmente cuantificables y medibles.

Importante

Hay algo que sí es indudable y que es necesario admitir: Facebook es aún una plataforma social en proceso de maduración y desarrollo, y por los siglos de los siglos...

Aunque en parte aún sigue siendo así (está siempre en constante desarrollo) Facebook ya se ha mostrado, y demostrado, como un canal muy eficaz a través del cual se puede llegar a clientes y consumidores con un marketing de contenidos rápido y directo.

Los beneficios son claros. Gracias a Facebook tanto una pequeña marca de barrio como una gran compañía tienen la oportunidad de abrir una conversación con su usuario. Esto posibilita una comunicación bidireccional que, entre otros, facilita el conocimiento del cliente, sus gustos, sus pensamientos, sus críticas… es decir, obtener información con valor añadido para la marca.

Por ello la plataforma social ofrece algo que el resto de redes sociales facilitan y que la gran mayoría de las marcas no han conseguido aún aprovechar realmente: un canal de relación fácil de usar que puede llegar a su público objetivo de un modo bidireccional, como hasta ahora no había ocurrido antes.

Una marca puede ofrecer gracias a Facebook:

✓ Contenido.
✓ Transparencia.
✓ Servicio.
✓ Opinión.
✓ Ahorro.
✓ Exclusividad.
✓ Conversación.
✓ Recomendación.
✓ Atención.

Para qué utilizar Facebook en una estrategia social

No hay duda de que a corto plazo sólo van a triunfar las marcas que sepan adaptarse a la convivencia con plataformas sociales como Facebook, aquellas que además de impulsar su modelo de negocio, entiendan que deben convertir la visibilidad social en un vehículo para la conversación y la construcción de contenidos alineados con su audiencia.

Figura 3.1. Gracias a Facebook cualquier marca, sea del tamaño que sea, tiene la oportunidad de abrir una conversación con su usuario.

Sea en el sector que sea, la marca puede utilizar las plataformas sociales del modo que crea más adecuado para desarrollar su estrategia de visibilidad. Por ejemplo, nadie le plantea a un pintor si debe utilizar una brocha o un rodillo en una determinada pared. El profesional debe realizar un trabajo y él mismo elige la herramienta y la utiliza del modo que cree más adecuado según su conocimiento y experiencia.

Curiosidad

A día de hoy muchas marcas consideran que su página en Facebook resulta incluso más importante para su estrategia de visibilidad digital que el propio sitio Web corporativo.

Sin embargo a cada una de las redes sociales se les puede dar el servicio que se crea necesario, como se hace con cualquier otro canal. No debe haber reglas preconcebidas. La marca puede utilizar la herramienta, en este caso Facebook, del modo que crea más adecuado con el fin de lograr desarrollar con éxito su estrategia.

Algunas de las estrategias de visibilidad para las que Facebook puede ser utilizada son las siguientes:

- ✓ Sustituir un sitio Web corporativo existente.
- ✓ Crear microsites de contenido vertical.
- ✓ Crear comunidades de usuarios de cualquier especie.
- ✓ Conseguir opinión del cliente sobre un producto o servicio.
- ✓ Lanzar nuevos productos.
- ✓ Exponer productos y servicios.
- ✓ Publicitar productos y servicios.
- ✓ Desarrollar catálogos online.
- ✓ Dar soporte de productos y servicios.
- ✓ Realizar encuestas.
- ✓ Vender productos.
- ✓ Ofrecer servicios móviles.
- ✓ Promocionar un evento de cualquier especie.
- ✓ Automatizar procesos empresariales.
- ✓ Desarrollar formación online.
- ✓ Realizar videoconferencias.

Qué es la meta de una estrategia de visibilidad

Nada es sencillo, nada se consigue de la noche a la mañana. Por eso es completamente necesario establecer los cimientos de la presencia de la marca en Facebook, es decir, argumentar el propósito final de la visibilidad en la plataforma social y establecer unas operativas concretas que deben completarse para conseguirlo. Es decir, definir una meta final y unos objetivos concretos.

¿Por qué es tan importante una meta? Básicamente porque especifica y aclara la razón real de la acción en Facebook o la presencia de la marca en la plataforma social. Con una meta, o metas claras, es posible definir el concepto global de visibilidad que argumente la razón para comenzar a trazar un plan estratégico con absoluta confianza.

A continuación, se ha desarrollado una lista con algunas de las metas más habituales, en cuanto a lo que ser refiere a estrategias de una marca en Facebook:

- ✓ Obtener mayor visibilidad de la marca.
- ✓ Mejorar la reputación de la marca.
- ✓ Conectar con nuevas audiencias.
- ✓ Interactuar con un nuevo público objetivo.
- ✓ Ofrecer contenido que no es posible mostrar de otro modo.
- ✓ Obtener mayor relevancia de un producto.
- ✓ Considerar las necesidades y demandas de usuarios y clientes.
- ✓ Conocer mucho mejor a su cliente o al que puede llegar a serlo.
- ✓ Aumentar la transparencia.
- ✓ Reforzar el *engagement* de colaboradores y empleados.
- ✓ Conseguir un aumento de ventas a medio y largo plazo.

Importante

Conviene no engañarse, no mentirse, no equivocar conceptos. Querer conseguir un mayor número de seguidores no es una meta. Es un objetivo básico, interno y diferenciado para conseguir una meta final, que posiblemente sea vender un producto o posicionar una marca en un determinado sector.

Cómo identificar y definir los objetivos

Nada es sencillo, nada se consigue de la noche a la mañana. Por eso es completamente necesario establecer los cimientos de la presencia de la marca en Facebook, es decir, argumentar el propósito final de la visibilidad en la plataforma social y establecer unas operativas concretas que deben completarse para conseguirlo. Es decir, definir una meta final y unos objetivos concretos.

Básicamente podríamos decir que un objetivo es una métrica que permite realizar el seguimiento de la progresión de la estrategia en Facebook de cara a alcanzar la meta propuesta anteriormente.

Una presencia adecuada y efectiva de una marca en Facebook, y su correspondiente estrategia, conlleva establecer y definir unos objetivos cuantitativos y cualitativos que permitan valorar positiva o negativamente los resultados de las decisiones que posteriormente se tomarán.

¿Por qué son tan importantes los objetivos? En primer lugar, porque concretan la realidad y centran en la construcción de la estrategia de la marca en Facebook. En segundo lugar, porque ofrecen los indicadores y las métricas específicas para, en la fase final de analítica, conocer los resultados.

El éxito y la efectividad de nuestra presencia en Facebook aumentarán a medida que se establezcan objetivos más identificados con el negocio "puro y duro", con la economía y una métrica asociada.

Importante

Sin los objetivos, no hay modo de medir el éxito o el fracaso ni tampoco saber si el proyecto se acerca al cumplimiento de la meta propuesta. Por tanto deben ser lo más específicos posible. Por ejemplo, "aumentar las ventas a través de tráfico procedente de Facebook en un 10% el Día del Padre".

Posiblemente uno de los mejores sistemas para establecer objetivos es el tan "manoseado" criterio de desarrollo de objetivos denominado "SMART", un método propuesto por George T. Doran que utiliza 5 elementos fundamentales para asegurar un establecimiento de objetivos adecuados y efectivos.

El famoso SMART (*Specific, Measurable, Attainable, Relevant, Time-Based*), se define con cada una de las siglas que sirven como los atributos que deben cumplir los objetivos. Son las siguientes:

✓ **Específicos** (S), para que los objetivos sean lo más claros y simples posibles.

✓ **Medibles** (M), para poder valorar al final si se cumplen o no.

✓ **Alcanzables** (A), para que sean un reto pero nunca imposibles de alcanzar.

✓ **Relevantes** (R), para que los objetivos resulten importantes para la marca.

✓ **Temporales** (T), para quelos objetivos tengan una fecha límite de consecución.

Atendiendo a estas características un ejemplo de objetivo para una estrategia en Facebook sería el siguiente: "Aumentar los usuarios registrados a un evento en un 25% en los próximos dos meses".

✓ Específico (S): aumentar los usuarios registrados.

✓ Medible (M): con una variación del 25%.

✓ Alcanzable (A): es posible conseguirlo.

✓ Relevante (R): es un objetivo importante.

✓ Temporal (T): con dos meses para conseguirlo.

De este modo, se puede observar que cada uno de los objetivos propuestos para alcanzar la meta cumplen con los criterios SMART, son específicos, medibles, alcanzables, relevantes y temporales.

Importante

Hasta hace poco tiempo los objetivos de una estrategia en Facebook estaban centrados únicamente en conversación, *engagement*, número de fans, etc. Con el tiempo estos objetivos están "madurando" hacia parámetros más cercanos a la conversión, la generación de negocio y la obtención de resultados. Es decir, la evolución de los objetivos, con distintos parámetros, nos acerca cada vez más al siempre controvertido ROI.

Cuáles son las diferencias entre una meta y un objetivo

Pues bien, manos a la obra. Si hay algún tecnicismo que suele generar confusión en un Plan Social Media Marketing ese es, sin duda, el que atañe al concepto meta y al concepto objetivo. En muchos casos es difícil evidenciar la diferencia entre los dos: meta y objetivo.

Importante

Una meta, por contra a un objetivo social, no tiene porqué ser medida, se alcanzará o no, se conseguirá o no, pero no hay razón para valorarla. Utilizando el símil de un atleta: se puede medir el tiempo, la velocidad o el ritmo de su carrera, pero no se puede medir la llegada a la meta, logrará alcanzarla o no. Sin más.

Muchos tendemos a explicar que una meta es simplemente la consecución final de unos objetivos, algo así como el "gran objetivo" final de una campaña social. Los objetivos son esos escalones que debemos superar para alcanzar la meta.

Ambos conceptos describen logros definidos separados entre sí por el tiempo. Sin embargo determinan fases diferentes de la estrategia de visibilidad en Facebook. La meta es muy amplia, es un final que guía el proceso de toma de decisiones, mientras que los objetivos son específicos, medibles, son pequeños pasos para alcanzar la meta.

Con una meta se debe definir el concepto global que argumenta la razón para comenzar una estrategia de visibilidad en Facebook. Por ejemplo, "aumentar las ventas", "mejorar la reputación de la marca" o "crear nuevas relaciones con clientes y proveedores". Sin embargo, los objetivos deben ser más específicos. Por ejemplo, "aumentar el número de clientes potenciales de la marca Acme a través de su página Facebook en un 10% antes del 1 de Junio".

Tabla 3.1. Diferencia de características entre meta y objetivo social

META	OBJETIVO
Amplia	Limitado
Ambigua	Preciso
Intangible	Tangible
Abstracta	Concreto
Imprecisa	Medible

Cómo asociar los objetivos a una meta

La prisa generalizada por parte de las marcas para coger el tren de Facebook está desembocando en que aparezcan un alto número de proyectos centrados en la visibilidad (cada marca con el suyo) pero que sean los mínimos los que logran cierto éxito o notoriedad.

Sin embargo plantear una estrategia seria de presencia, con un trabajo estratégico previo bien objetivado, es imprescindible y en la mayoría de los casos asegura el éxito.

Una meta debe estar asociada a un objetivo global de negocio, sin embargo los objetivos no. Aumentar las ventas de una marca es una meta complicada, pero menos si se cumplen los objetivos adecuados en Facebook.

Tabla 3.2. Ejemplos de objetivos asociados a una meta.

OBJETIVO	META
Aumentar hoy un 20% el número de clics a enlaces dirigidos al Ecommerce.	Vender
Alcanzar las 250 menciones al mes en perfiles de influencers.	Influencia
Conseguir superar los 1.000 comentarios positivos en un mes.	Recomendación
Aumentar en un 40% los contenidos compartidos durante la semana.	Visibilidad
Crecer un 15% mensual en el número de "Me gusta".	Fidelización
Reducir las llamadas telefónicas a Atención al Cliente un 25% anual.	Servicio

Por qué los "Me gusta" no deben ser un objetivo

Básicamente, el desarrollo de una verdadera comunidad de usuarios fieles en Facebook tiene mucho que ver con un establecimiento adecuado de diversos objetivos, pero no con la consecución rápida de "Me gusta" o fans.

Es más, una de las propuestas más habituales por parte de las marcas, por ejemplo a la hora de comenzar a hablar sobre su presencia en Facebook, es afirmar "Quiero conseguir muchos Me gustas". Pero ¿realmente puede ser ese el objetivo final a la hora de trazar una estrategia de visibilidad de marca realmente efectiva? O mucho me equivoco o, por sí mismo, el hecho de conseguir muchos "Me gusta" no es un objetivo real.

Figura 3.2. Por algo menos de 200 euros una marca puede mostrar "su gran poderío" y disponer de 7.000 nuevos "Me gusta" en 10 días. Los de conseguir objetivos es para otros.

Vayamos por partes. Conseguir un gran número de "Me gusta" en una página en Facebook, o de seguidores en Twitter o Instagram, es puramente una acción necesaria para aumentar la comunidad y alcanzar algunos de los objetivos más habituales. Es decir, atraer un gran número de seguidores no es ni más ni menos que el medio para conseguir un posterior fin, una táctica que debe permitir conseguir un objetivo marcado. Si se persigue el fracaso, hasta se pueden comprar.

Tras el equívoco de admitir la consecución de "Me gusta" y fans como un objetivo, suelen comenzar siempre problemas reales de presencia de una marca en Facebook. De un tiempo a esta parte aparecen agencias que crean paquetes prediseñados de tácticas sociales que estandarizan estrategias y las disfrazan de objetivos.

Un ejemplo para ilustrar esto. Imaginemos un objetivo real, un objetivo SMART. Este podría ser vender treinta unidades de un nuevo producto a través de la nueva Facebook Store desarrollada por la marca. En este caso, básicamente, será necesaria una estrategia previa de visibilidad y posteriormente estrategias que inciten a la redirección del tráfico a la tienda en Facebook para conseguir la conversión de la venta.

Figura 3.3. Muchas páginas muestran una actividad nula de su usuario. Posiblemente detrás estén los "Me gusta" falsos.

¿Es entonces el aumento en la cantidad de fans un objetivo en sí mismo? No. Es una estrategia más, un modo de establecer una base de fans que sirva como herramienta para acometer muchos de los objetivos habituales. Para conseguir objetivos se necesita audiencia, pero la audiencia en sí no es un objetivo si no existe una estrategia para "utilizarla".

Importante

El "Me gusta" obligado, el fan egoísta o el seguidor falso ni comentan, ni compran, ni comparten, ni pulsan sobre los enlaces, ni recomiendan, ni compran, ni visitan, ni publican... ni nada de nada. Más vale entonces una comunidad pequeña y activa que una comunidad grande inactiva.

En cualquier caso, aún los profesionales dudamos realmente de si las prácticas habituales para hacer aumentar el número de "Me gusta" en una página de Facebook son realmente útiles y garantizan que realmente se cree una comunidad en torno a la marca.

Entonces ¿los "Me gusta" de Facebook no sirven para nada?, ¿qué valor tienen realmente el fan? Si a esto unimos la cada vez menor relevancia de las publicaciones en Facebook ¿qué nos queda?, ¿realmente merece la pena continuar destinando recursos a esta plataforma? Por supuesto, sí. Los esfuerzos destinados a conseguir una alta audiencia no son en vano si, a la vez, tenemos la garantía de que realmente se ha conseguido crear una comunidad comprometida realmente con la marca.

4

Planificar la estrategia de puesta en marcha de la página

Cuál es el proceso básico de la planificación

Los tiempos en que Facebook era una simple plataforma para fomentar la visibilidad y "probar" cosas, han acabado. La época de "estar" en Facebook ha dado paso a la utilización de la plataforma como una verdadera herramienta de marketing de contenidos para la marca.

Hoy, ahora, es imprescindible una planificación previa de la estrategia de visibilidad. Sea cual sea la meta de la marca para estar en Facebook. Esta planificación conlleva la definición de algunos aspectos que marcarán la diferencia a posteriori, la diferencia en cuanto a efectividad, eficiencia y eficacia.

Truco

Una plantilla resumen de la planificación estratégica puede ayudar mucho a establecer las bases de trabajo de un modo más específico y conciso, de modo que a la hora de desarrollar las tácticas específicas todo esté mucho claro.

Previo a la puesta en marcha de una página en Facebook, se deberán planificar varias características que posteriormente, durante la definición de la estrategia, será necesario detallar. A continuación se muestra el listado con el proceso y los conceptos a examinar. Se debe tener en cuenta, por este orden:

- ✓ 1. El posicionamiento del **enfoque** de los contenidos.
- ✓ 2. La segmentación del **usuario** y la audiencia.
- ✓ 3. La estrategia del **contenido**.
- ✓ 4. Las acciones de **promoción**.
- ✓ 5. Las **tácticas** de publicación.
- ✓ 6. Las métricas base para la **analítica**.

Cuál debe ser la identidad de la página

Como ya se ha indicado anteriormente, estar presente en Facebook con una página es fundamentalmente una cuestión de objetivos e identidad. Por esto, antes de comenzar a desarrollar una página, que de algún modo es el centro de contenidos de toda estrategia en Facebook, es preciso llevar a cabo una definición clara del plan de actuación.

Aunque en muchas ocasiones sea algo que no se tiene en cuenta, una estrategia de visibilidad basada en Facebook requiere de una árdua planificación previa, un modo de definir claramente todo los procesos que se deberán llevar a cabo. Una vez realizadas las labores previas de investigacion y monitorización (capítulo 2 y 3) y fijados los objetivos (capítulo 4), llega el momento de planificar y diseñar el enfoque de la página. Más adelante se deberán tomar decisiones sobre las opciones reales de segmentación y, básicamente, el contenido y su promoción.

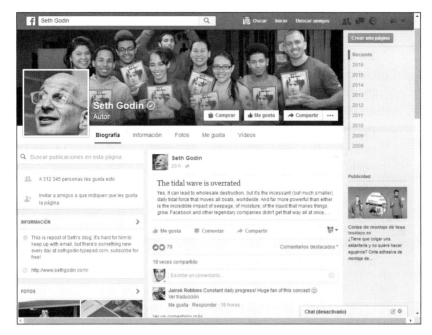

Figura 4.1. Facebook es ideal para el desarrollo de marcas personales interesadas en adquirir influencia y prestigio en un determinado sector.

Importante

Una estrategia seria de visibilidad en Facebook debe estar siempre alineada con unos objetivos concretos y medibles. El esfuerzo real de la marca debe centrarse en la consecución de una meta y sus objetivos. Siempre.

Para llevar a cabo una planificación adecuada, previa a la publicación de la página, es necesario decidir qué propiedad va a tener la identidad digital de la marca en la página. Estas son algunas de las más habituales:

✓ **Comercial:** es lo más parecido a un sitio Web corporativo, pero con un tono más cercano y próximo, que permita conversar y que la marca esté cerca de fans, clientes y contactos.

✓ **Profesional:** es lo más cercano a un canal temático, de la marca, donde se tratan temas más generales del sector. La clave es respaldar la visibilidad con una apuesta por el contenido diferenciador para clientes/fans/usuarios. Esta fórmula permite a la marca posicionarse como socialmente activa, transparente, responsable y experta.

✓ **Personal:** es lo más parecido a un sitio Web realizado por una persona profesional que pretende mostrar y ofrecer su perfil laboral para ayudar a la comunidad. Es ideal para desarrollar marcas personales interesadas en adquirir influencia y prestigio en un determinado sector.

✓ **Campaña:** es lo más ligado a un *microsite* Web, muy vertical en cuanto a contenidos, y unido a una campaña concreta de una marca, producto o servicio.

Cómo aprovechar la interacción del usuario

El modo en que el consumidor recibe la información e interactua con el contenido, y también con el producto, que le gusta ha cambiado. Si echamos un vistazo a nuestro alrededor nos daremos cuenta de que los procesos de comunicación de nuestro día a día son drásticamente diferentes a hace pocos años. Nuestra vida diaria se encuentra cada vez más unida a elementos como un portátil, un tablet e incluso varios teléfonos, todos ellos en constante conexión a Internet, y por lo tanto más conectada con el resto del mundo.

Ahí es donde Facebook tiene un protagonismo evidente ya que permite aprovechar todas las oportunidades disponibles de llegar al usuario a través de todo tipo de dispositivos conectados. De alguna manera, se trata de un salto hacia delante, un nuevo "lenguaje" a través del que la marca puede entablar conversación con el usuario y acercarse a él.

Estos cinco puntos podrían ser una guía básica de lo que toda marca debe hacer para acercarse al usuario a través del nuevo "lenguaje" de una página en Facebook:

Figura 4.2. Facebook es un vehículo de comunicación entre el consumidor y la marca, mucho más cercano y transparente que los convencionales.

1. **Escuchar activamente.** Leer lo que se dice de la marca, monitorizando, sobre todo, tenerlo muy en cuenta.

2. **Participar en la conversación.** Crear una estrategia para responder a lo que se dice de modo que la marca también forme parte de la conversación.

3. **Aceptar las opiniones.** Entender las críticas como parte del proceso de aprendizaje de la marca. Se debe dejar a un lado de una vez por todas la autocomplacencia.

4. **Facilitar la relación.** Una página en Facebook es la herramienta más adecuada para conocer las virtudes y los defectos de la marca, por lo que debe intenta ayudar a los que quieren hablar de ella.

5. **Adecuar los procesos.** Adaptar la marca a las nuevas reglas que define Facebook, si no resultará complicado alcanzar los objetivos.

Sin embargo, Facebook no es en sí misma una nueva forma de hacer negocios, sino una plataforma para facilitarlos. Es un nuevo vehículo de comunicación entre el consumidor y la marca, un vehículo mucho más cercano y transparente que los convencionales. Estas serían algunas de las características de la plataforma social a la hora de relacionar al usuario y a la marca.

- ✓ Es una plataforma... adecuada para **generar una comunidad.**
- ✓ Es una plataforma... que actúa como **canal de comunicación directa** con el usuario.
- ✓ Es una plataforma... ideal como espacio **versátil y potente** para la distribución de contenidos.
- ✓ Es una plataforma... idónea como **canal de comercialización** de productos y servicios.

En la medida en que Facebook no se admita más que como una simple herramienta de visibilidad de marca y no se establezca una estrategia liderada por una meta y unos objetivos claros y medibles, todas las acciones que se realicen se convertirán en una pérdida de tiempo y en un gasto inútil, que posiblemente derivará en el mediano plazo en una mala imagen para la marca.

Qué se debe admitir como punto de partida

Para comenzar a planificar la estrategia de puesta en marcha de una página en Facebook, ante todo, la marca debe ser humilde. Será un camino largo que puede comenzar con mejores o peores resultados.

El entusiasmo del lanzamiento lleva a veces a plantear objetivos y proyectar métricas que no se tiene la seguridad de que se puedan alcanzar. En caso de que sea así, el efecto negativo que generará puede conducir a que la marca desconfíe de la plataforma y sus posibilidades. Algo que siendo justos no es lógico.

La marca debe "entender" desde el punto de partida del proyecto de visibilidad que, como dice el refranero español, "para presumir hay que sufrir". Por tanto es conveniente admitir las posibles dificultades antes de comenzar. Algunas de las más habituales son estas:

Figura 4.3. La crítica por parte del usuario, merecida o no, es
una dificultad momentánea que hay que convertir en una ventaja
y que con toda seguridad se va a presentar.

✓ **La estrategia requiere compromiso, desde el principio hasta el final.** La presencia en Facebook es siempre positiva si se consigue una audiencia objetiva y se cultiva manteniendo su interés durante el tiempo.

✓ **La viralización del contenido no es sencilla, no viene de serie.** Si alguien cree que porque su marca publique algo gracioso en Facebook le van a llover los clientes y la conversación, está muy lejos de la realidad y, sobre todo, de las analíticas.

✓ **La conversación con el usuario transparente, se quiera o no.** Cualquiera va a poder ver lo que dice la marca y lo que se dice de ella, cualquiera. Hay poco que se pueda ocultar y, además, no debe hacerse.

✓ **La crítica es parte del día a día, sí o sí.** El juicio por parte del usuario, merecido o no, es una dificultad momentánea que hay que convertir en una ventaja y que con toda seguridad se va a presentar. Es de las pocas cosas que son seguras en una estrategia de visibilidad en Facebook.

✓ **El retorno de la inversión es lento, más de lo gustaría a todos.** Habitualmente la presencia en Facebook o el lanzamiento de una determinada campaña son proyectos a medio plazo. No se consiguen retornos de la inversión, por pequeños que sean, hasta que no se ha establecido convenientemente el plan, y eso lleva algo de tiempo. Estar en Facebook debe considerarse un esfuerzo estratégico a medio-largo plazo.

Cuál debe ser estrategia hacia la conversación

Como ya se ha comentado anteriormente, debemos asumir que una página va a ser parte del día a día de la marca en Facebook. Por tanto hay que definir muy claramente cual va a ser la actitud, tanto hacia la socialización de la empresa a través de ella como hacia el nuevo usuario que espera.

Figura 4.4. Conversar y responder rápidamente a todas las acciones que se realicen a través de la página es imprescindible.

Básicamente, la lista siguiente puede ofrecer un resumen claro de las tareas más comunes a las que se debe adaptar la marca con respecto a su página para alcanzar con éxito sus objetivos.

- ✓ **Escuchar.** Es la función clave para una buena investigación y monitorización de la conversación en Facebook. Para ello es necesario buscar conversaciones sobre la marca, competidores, personas, mercado, sector. A más información más posibilidad de análisis y, por lo tanto, mejor será la escucha.

- ✓ **Extraer.** A raíz de la escucha, extraer lo relevante y desarrollar un informe analizando la situación. Esta es una labor muy importante, que en muchas ocasiones queda relegada a un segundo plano, pero que es básica dentro de la estrategia de visibilidad.

- ✓ **Transmitir.** Hacer llegar los datos, con el informe de situación extraído de la investigación, a todo departamento o profesional al que la información le sea de ayuda para potenciar la marca.

- ✓ **Explicar.** Transmitir adecuadamente la estrategia de visibilidad que se va a utilizar en Facebook. De algún modo la página se va a convertir en el reflejo de la marca para todos los usuarios y es preciso adaptar el mensaje a la estrategia propuesta.

- ✓ **Conversar.** Hablar y responder rápidamente en todas las acciones que se realicen a través de la página y con respecto a cualquier otra actividad (grupos, comunidades, perfiles, eventos, etc.) llevada a cabo en Facebook.

- ✓ **Compartir.** Seleccionar contenidos de interés para la comunidad y hacerlos llegar a los usuarios.

- ✓ **Conectar.** Buscar líderes de opinión (*influencers*), tanto interna como externamente, para crear una relación entre la comunidad y la página sustentada en su labor.

- ✓ **Colaborar.** Encontrar vías de cooperación entre la página y la comunidad.

- ✓ **Analizar.** Medir, cualificar y cuantificar todos los detalles que sean importantes para el desarrollo de la página y de toda acción táctica en Facebook.

5

Conceptualizar un enfoque distintivo

A qué se refiere exactamente un enfoque distintivo

Una vez completadas las fases previas de investigación (capítulo 1) y monitorización (capítulo 2), disponemos ya de toda la información necesaria con respecto al segmento de usuarios al que orientar la estrategia de visibilidad de la página en Facebook, así como la situación de la marca y la competencia con respecto al contenido y la conversación.

Es el momento entonces de analizar los datos recabados y comenzar a trabajar, de un modo original y creativo, en conseguir planificar la estrategia de la página de un modo especial. Es lo que podríamos determinar como diseñar un enfoque distintivo.

Este enfoque podría definirse como la orientación que se adopta ante un entorno de actuación, es decir, una perspectiva creativa que debe implicar un modo particular de conceptualizar, planificar y diseñar la línea estratégica y táctica de las acciones de la página Plan Social Media Marketing. El enfoque define y resume la "personalidad" de la marca en Facebook.

Importante

Un enfoque acertado debe dar como resultado una estrategia de contenido con una orientación particular encaminada a ser relevante para una comunidad o un determinado perfil de usuario objetivo. Con el enfoque se planifican las líneas generales de comunicación que se deben cumplir, independientemente de la fase de la estrategia en la que nos hallemos.

Figura 5.1. Un enfoque adecuado debe tratar de comunicar y sintonizar con el usuario bajo premisas que le resulten sencillas, cautivadoras y sugestivas.

Qué debe integrar un enfoque adecuado

En el escenario de Facebook un enfoque determinado se enfrenta al día a día del contenido social y, por lo tanto, muestra la marca al usuario bajo unas condiciones determinadas.

Un enfoque adecuado debe tratar de comunicar y sintonizar con el usuario bajo premisas que le resulten sencillas, cautivadoras y sugestivas, con la dificultad que esto conlleva. Así se consigue conectar con el perfil objetivo de un modo directo y limpio, lo que hará que aumente el conocimiento de la marca y que la perciba como cercana e interesante.

Importante

Un enfoque adecuado trata de establecer un posicionamiento de comunicación que convierta el mensaje de la marca en contenido relevante en Facebook.

La fase del diseño del enfoque de una estrategia de visibilidad en Facebook debe establecer un tono de comunicación original en detalles como:

✓ Tratamiento del diseño de elementos de la página.

✓ Tono y estilo de la publicación de contenido.

✓ Tono y estilo de la conversación.

✓ Tratamiento de la producción de las piezas de contenido.

✓ Orientación de la línea editorial, gráfica y audiovisual.

✓ Estilo de publicación del contenido.

✓ Tipo de lenguaje.

Cómo marcar una línea conceptual sólida

Con el paso del tiempo las líneas de contenido y las piezas sociales en Facebook están requiriendo de enfoques más creativos y personalizados. El usuario comienza a estar cansado de recibir en su muro la misma orientación de la conversación y el contenido por parte de las marcas.

Definiendo un enfoque original y trasladando el concepto a Facebook (como a otras plataformas sociales) la marca habrá dado un paso importante para conseguir centrar la línea de comunicación de la estrategia de visibilidad y, de este modo, poder comenzar a aplicar procedimientos a la hora de conversar y publicar. Un enfoque distintivo facilitará a la marca que el mensaje sea percibido por el usuario de un modo más especial e interesante. Es un hecho que los enfoques rutinarios comienzan a no funcionar. Un enfoque arriesgado tiene más oportunidades de éxito que una estrategia demasiado abierta y convencional.

Figura 5.2. Un enfoque arriesgado tiene más oportunidades de éxito que una estrategia demasiado abierta y convencional.

Pocas páginas de marca producen contenido con un enfoque distinto y diferenciador. De hecho Facebook está copada de piezas compartidas y viralizadas por lo que los pocos que publican con un enfoque distintivo, a medio plazo, terminan teniendo éxito.

Por esto parece lógico pensar que en Facebook no basta con publicar y comunicar, hay que hacerlo de un modo "enfocadamente creativo" y alineando las piezas con los objetivos, de modo que la conversación y el contenido se conviertan en especiales y relevantes para el usuario.

Se puede diseñar un enfoque estratégico bajo distintos tipos de líneas conceptuales. Posiblemente Facebook sea una de las plataformas sociales, junto a Twitter, en la que mejor pueden observarse los singulares enfoques de algunas marcas:

- ✓ Positivo como Mr. Wonderful
  (`Facebook.com/MrWonderfulShop`).
- ✓ Negativo como Mr. Wonderfuck
  (`Facebook.com/MrWonderfuck`).
- ✓ Recopilatorio como Lo Mejor de Facebook
  (`Facebook.com/LoMejorDeFaceBOOk`).
- ✓ Mordaz como Moe de Triana
  (`Facebook.com/MoeDeTriana`).
- ✓ Irreverente como ViceEspaña
  (`Facebook.com/ViceEspana`).
- ✓ Experto como Seth Godin (
  `Facebook.com/SethGodin`).
- ✓ Marca personal como Curtis Lepore
  (`Facebook.com/CurtisLepore`).
- ✓ Satírico como Norcoreano
  (`Facebook.com/Norcoreano`).
- ✓ Gamberra como Asco de Vida
  (`Facebook.com/AscoDeVida`).
- ✓ Humorístico como El Mundo Today
  (`Facebook.com/ElMundoToday`).
- ✓ Creativo como No Me Toques Las Helvéticas
  (`Facebook.com/NoMeToquesLasHelveticas`).

Aprovecha los hashtags y las *vanity URL* como apoyo

Al trabajar en el desarrollo del enfoque de una estrategia en Facebook es vital aprovechar el poder de los conceptos en forma de *hashtags* y *Vanity URLs* (dirección personalizada que proporciona Facebook y que es corta y sencilla de aprender). Por ello una de las primeras acciones a tomar tras elegir el nombre o concepto es "reservar" la marca en la plataforma social.

Lo típico tras crear una nueva página de Fans es que el usuario deba acceder tecleando algo parecido a lo siguiente: (`http://www.facebook.com/pages/nombredelapagina/138665506236972`).

Ya que existe la oportunidad es obligado obtener una dirección corta y personalizada que sea mucho más sencilla de recordar para el usuario. Algo así como: (`Facebook.com/NombreDeMarca`)

Figura 5.3. Una de las primeras acciones tras elegir el nombre es "reservar" la marca como dirección corta en Facebook.

POR EJEMPLO. Imaginemos que estamos trabajando en un proyecto centrado en dar visibilidad a una nueva marca de contenidos que va a basar su estrategia en la crítica social de programas televisivos y que nuestro enfoque se va a centrar en ofrecer memes humorísticos bajo el nombre de "Tele-Clics". Entonces debemos desarrollar la página e inmediatamente después la dirección (`Facebook.com/TeleClics.com`*). Una vez hecho esto podremos utilizar la dirección directamente en el navegador de Internet.*

Truco

Para crear un dirección Web personalizada del tipo (`Facebook.com/NombreDeMarca`) basta con acceder al apartado configuración y, en el menú Información de la página, introducir su nombre en Dirección Web de Facebook. Una página recién creada necesita 25 fans como mínimo para poder generar una *vanity URL* o dirección Web personalizada.

6

Crear la página e introducir sus datos básicos

Qué es y cómo se estructura una página de Facebook

Las páginas de Facebook nacen de la necesidad de la marca por compartir y socializar su contenido de un modo más abierto, sin los requisitos y las condiciones de un perfil personal. Una página hace posible que el usuario se relacione de forma más directa, frecuente y personal con la marca, de modo que pueda expresar su cercanía o apoyo agregándose como fan a través de la opción Me gusta. Básicamente, la página, es el núcleo de la estrategia, es el mejor modo que tiene hoy una marca para establecer una comunidad en la que sus usuarios se sientan agrupados en un ámbito que hagan más explícitos sus gustos e intereses y, por qué no, de tener una interfaz más amplia, con mayores posibilidades de comunicación, que contraste con la sobriedad de un perfil.

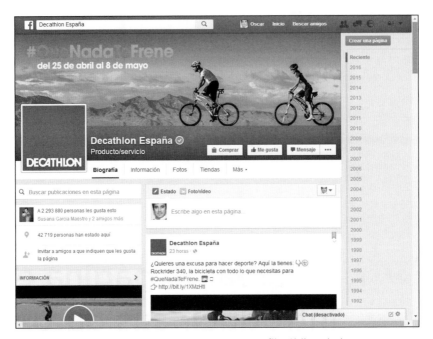

Figura 6.1. La página de Facebook es un perfil público de la marca que se asemeja básicamente al concepto de un sitio Web en Internet.

Decir Facebook es decir fans, es decir "Me gusta". Son dos palabras que parecen caminar unidas desde hace ya algún tiempo. Del mismo modo que van unidas la palabra fan y la palabra página. ¿Por qué? Muy sencillo, disponer de una página en Facebook es sinónimo de visibilidad, de comunidad, de promoción, de conversación y de socialización. Es el mejor modo de estar en la plataforma social. Una página en Facebook es el paradigma de la cercanía en los medios sociales.

Importante

Para poder publicar una página es preciso, previamente, disponer de un perfil personal en Facebook o bien darlo de alta en el momento de crearla. Es decir, una página debe ser propiedad de un usuario que realice las funciones de administrador que responde de su contenido.

La página es un perfil público de la marca que se asemeja básicamente al concepto de un sitio Web en Internet. En estos momentos ofrece todas las posibilidades de un microsite vertical que permite comunicar e interactuar de manera bidireccional con el usuario que dispone de una cuenta en Facebook. Realmente es la forma en la que las marcas se están mostrando en la plataforma.

Habitualmente se compone de datos generales, específicos y gráficos de la marca a la representa , además de todo tipo de elementos para la promoción y visibilidad.

Figura 6.2. Disponer de una página es sinónimo de visibilidad, de comunidad, de promoción, de conversación, de socialización e incluso de venta.

Una página es visible para todos los usuarios de Internet, a través de su dirección, sin necesidad de que estén registrados en Facebook, si bien es cierto que en ocasiones es necesario disponer de un perfil y ser fan de la Página para poder acceder a determinados contenidos y características. De este modo las páginas acumulan "Me gusta" (fans, admiradores, seguidores, etc) de lo que se están proponiendo o dando a conocer, lo que permite a la marca compartir experiencias, conversar con clientes, comunicar y, en la mayoría de las ocasiones, promocionar sus contenidos.

Estos son los elementos más habituales de una página de Facebook:

- ✓ Imagen o logotipo de marca.
- ✓ Portada de marca.
- ✓ Muro.
- ✓ Biografía.
- ✓ Información.
- ✓ Fotos.
- ✓ Me gusta.
- ✓ Vídeos.
- ✓ Pestañas.
- ✓ Noticias.
- ✓ Mensajes.
- ✓ Notificaciones.
- ✓ *Stream* de actividad reciente.

Qué elegir para una marca personal, perfil o página

Hace algún tiempo esta afirmación seguramente pudiera generar cierta controversia, pero a día de hoy, con las posibilidades con respecto a la gestión de publicación de contenidos, las opciones de privacidad y las de promoción que ofrece la plataforma, ya no tiene ningún sentido. Ni siquiera en casos en los que los objetivos con respecto al tipo de comunicación de la marca sean distintos, al menos en la gran mayoría de los casos.

Importante

Una marca no debe mostrarse a través de un perfil, su opción de visibilidad en Facebook debe ser una página. Los perfiles personales representan a particulares y no deben utilizarse con fines comerciales, ya que Facebook puede bloquearlos o eliminarlos. Va en contra de las condiciones de Facebook utilizar una cuenta personal para representar algo que no sea una persona, véase una marca. Esta toma de decisión sobre si desarrollar un perfil o una página solo puede resultar lógica en el caso de que se trate de establecer la visibilidad en Facebook de una marca personal, de un profesional que no desee, por ejemplo, mezclar lo personal con lo profesional. Pero a día de hoy no tiene ningún sentido. Ya no tiene porque existir esa mezcla sin control, siempre que las políticas de publicación, segmentación y privacidad estén bien establecidas. Facebook tiene ya todo lo necesario para una personalización al detalle de lo que se ve y no se ve en una página.

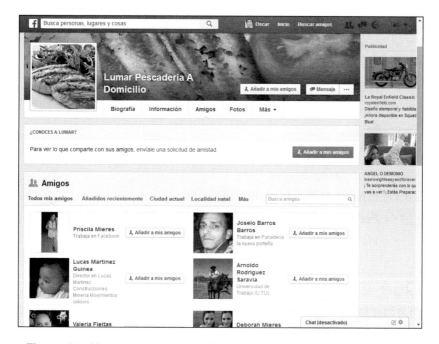

Figura 6.3. Una marca ni puede ni debe mostrarse a través de un perfil personal, su opción de visibilidad debe ser una página.

Curiosidad

Se puede aprovechar la confluencia y la cercanía entre la vida personal y la profesional. Si alguien del entorno profesional conoce los gustos, coincide en las aficiones y está de acuerdo con las opiniones del profesional, eso puede traducirse también en negocio. De alguna manera, es un modo de ofrecer una visión de 360° de uno mismo, lo personal y lo profesional en un todo. Ahora se puede llegar a conocer bastante a alguien por su perfil en Facebook y después "desvirtualizarlo" en una conferencia o en una reunión de trabajo.

Hay varias las razones por las que elegir un página en Facebook para representar a la marca. Se podría resumir en la necesidad de manejar de un modo independiente el contenido y la analítica de las interacciones. Sin embargo, estas son las más importantes:

- ✓ Número ilimitado de "Me gusta".
- ✓ Analítica de contenidos y procesos.
- ✓ Visibilidad para todo usuario de Internet.
- ✓ Aplicaciones y pestañas.
- ✓ Información específica.
- ✓ Opciones de promoción.
- ✓ Notas.
- ✓ Publicaciones de visitantes.
- ✓ Trabajo en grupo.
- ✓ Posibilidades de geolocalización.
- ✓ Feed de noticias.
- ✓ Comentarios y recomendaciones.

Qué elegir para crear comunidad, página o grupo

Tanto las páginas como los grupos son los dos tipos de opciones que una marca dispone para garantizarse una adecuada visibilidad en Facebook. Sin embargo, aunque ambos puedan operar bajo un concepto similar, a la hora de objetivar las estrategias, sus posibilidades son distintas, y es importante tener en cuenta las dos principales diferencias entre ellas. Son las siguientes:

✓ Una página es la extensión de una marca en Facebook y sus capacidades de personalización permiten, tanto el establecimiento de relaciones a largo plazo con los usuarios como potenciar el desarrollo de comunidad interactiva a través del contenido.

✓ Un grupo es una extensión de un perfil personal y su filosofía está más encaminada a la posibilidad de reunir a otros perfiles bajo un tema en común para convertirse en punto de encuentro social.

De algún modo hay que tener en cuenta que Facebook considera los grupos como una extensión de un perfil, que ejerce de administrador, por lo que su actividad va siempre ligada a él. Mientras que un grupo puede resultar muy adecuado para construir una comunidad muy segmentada y generar una determinada escala de interacción alrededor de ella, una página es el concepto ideal para una marca que desee interactuar y conversar con sus seguidores de un modo más profesional.

Estas son algunas de las características que las diferencian:

✓ Un grupo permite segmentar por intereses y demografía a los miembros.

✓ Una página facilita una mejor personalización del contenido a través de pestañas y aplicaciones.

✓ Un grupo ofrece al administrador mayor control sobre los miembros.

✓ Un grupo ofrece la posibilidad de enviar mensajes a los miembros.

✓ Una página puede tener un número ilimitado de "Me gusta".

✓ Un grupo limita la comunicación directa a 5.000 Miembros.

✓ Una página no permite la comunicación directa con sus fans y seguidores.

✓ Una página y su contenido es indexado por buscadores externos como Google.

✓ Un Grupo no es indexado por buscadores externos como Google.

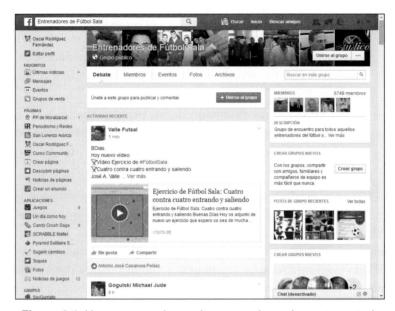

Figura 6.4. Un grupo puede resultar muy adecuado para construir una comunidad muy segmentada y generar una determinada escala de interacción alrededor de ella.

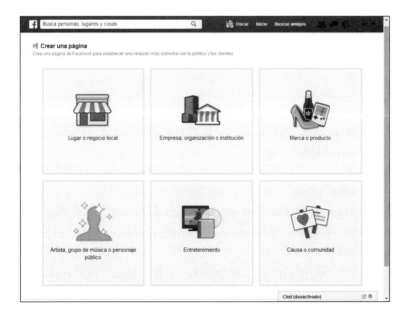

Figura 6.5. El proceso de creación de una página es sencillo, se realiza a través de un asistente.

Cómo dar los primeros pasos en el proceso de creación de una página

El proceso de creación de una página se puede comenzar de distintos modos, dependiendo de si ya se dispone de un perfil personal en la plataforma o no. Cuando no se dispone de él cabe la posibilidad de comenzar el proceso desde la página principal de Facebook (**Facebook.com**), pulsando sobre el vínculo Crear una página para un personaje público, un grupo de música o un negocio situado en la parte inferior del formulario de registro. Aunque posteriormente, será completamente necesario registrarse y disponer de un perfil personal para su publicación.

Importante

En el proceso de creación de la página, cuando indicamos su nombre, sea de la categoría que sea, debemos hacerlo con cuidado ya que será el que represente a la marca en Facebook. Aunque es posible modificarlo después, hacerlo no es lo más conveniente. Por eso es recomendable profundizar en su elección con suficiente tiempo y elegir adecuadamente.

Por el contrario, si ya se dispone de un Perfil el proceso es el siguiente:

1. Acceder al perfil que va a desarrollar la labor de administrador de la página.

2. En el menú situado más a la derecha de la barra superior pulsaremos sobre la opción Crear página.

3. Una vez hecho esto accederemos al menú que permite seleccionar temáticamente la nueva página a crear. Gracias a esta opción es posible elegir opciones como Lugar o negocio local, Empresa, organización o institución, Marca o producto, Artista, grupo de música o personaje público, Entretenimiento y Causa o comunidad.

4. Para seguir avanzando deberemos pulsar sobre una de las seis opciones.

5. Dependiendo de la selección realizada en el paso anterior, accederemos a un formulario con distintas opciones que cumplimentar. En caso, por ejemplo, de querer crear una página sobre un artista únicamente deberemos seleccionar una categoría en la que clasificarlo y su nombre, con eso bastará. Pero cuidado, se trata de un paso mucho más importante de lo que parece.

6. A continuación podemos leer las Condiciones de las páginas de Facebook, pulsando sobre el enlace. Una vez hecho esto hay que hacer clic sobre el botón Comenzar.

Truco

Los datos del perfil personal que administra una página no aparecen en ningún lado, a menos que el usuario decida que así sea. Por lo tanto, el usuario de una página nunca verá el nombre del administrador.

Importante

Hasta que la Página de Fans no disponga de todo del contenido adecuado, y sobre todo alineado a los objetivos marcados, no conviene ni publicar ni promocionarla. Ni siquiera cuando lo proponga el propio Facebook.

Qué es necesario para cumplimentar la información básica

Una vez cumplimentado el pequeño formulario de acceso para la creación de una página, es el momento de comenzar a configurar y de dotarla de un contenido básico. Para ello Facebook pone a disposición del usuario un asistente denominado Configurar, de cuatro sencillos pasos, que permite introducir la información más importante sobre la página recién creada y que hará las veces de contenido básico tras su publicación.

Truco

Cada uno de los pasos del asistente para cumplimentar la información básica de la página se pueden omitir, para completarlos posteriormente. De todos modos, aunque se incluyan, más adelante se podrán modificar tantas veces como sea necesario.

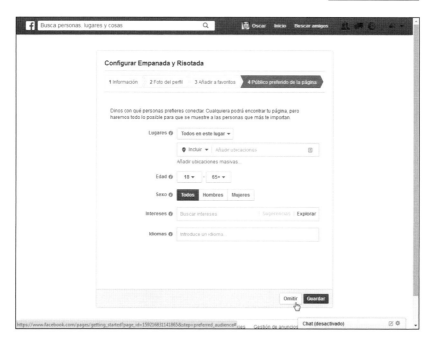

Figura 6.6. La información básica puede modificarse posteriormente, aunque Facebook pide que se introduzca nada más comenzar el proceso.

Estos son los pasos de los que dispone el asistente:

✓ **1. Información**

Es un apartado que permite incluir una breve descripción sobre la página, de 225 caracteres como máximo. Hay que tener en cuenta que es importante ya que servirá como palabras clave de posicionamiento y se mostrará en los resultados de las búsquedas. Además se puede añadir la dirección de un sitio Web de referencia o incluso la de un perfil en otra red social. Posteriormente está información se podrá modificar.

✓ **2. Foto del Perfil**

Es muy importante añadir una imagen suficientemente significativa, de calidad y acorde a la línea de enfoque gráfico de la marca. Puede ser un logotipo, la imagen del producto o incluso una imagen de la persona, en caso de marcas personales. Posteriormente está imagen se podrá cambiar o sustituir por otra.

✓ **3. Añadir a favoritos**

Permite colocar una nueva opción, con el nombre que se desee, en la sección de favoritos. Esto permite acceder a ella para su gestión de un modo mucho más rápido.

✓ **4. Público preferido de la página**

Es el apartado dedicado a predefinir una segmentación básica, que indica el tipo de usuario con el que la marca quiere conectar a través de la página recién creada. Lo más adecuado es evitar este paso, pulsando sobre el botón Omitir, y realizar posteriormente una segmentación más adecuada como se explicará más adelante (capítulo 7).

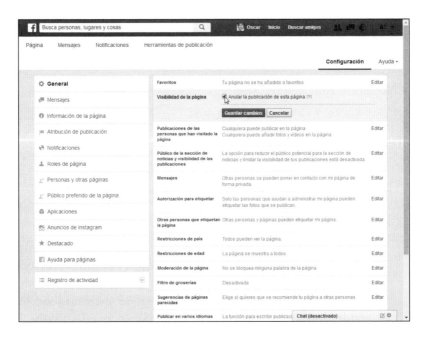

Figura 6.7. Aunque Facebook publica la página automáticamente, es mejor anular el proceso hasta que la página esté perfectamente configurada y con el contenido adecuado.

Para finalizar el proceso de configuración básica basta con hacer clic sobre el botón Guardar. Hecho esto, la página quedará creada y publicada, lo cual no quiere decir que alguien sepa que existe. La promoción de la página es otro de los procesos que se tratarán posteriormente.

Sin embargo aún no sea el momento de que la página sea visible, fundamentalmente porque se encuentra sin contenido. Por esto es una buena opción es anular la publicación de la página momentáneamente hasta que disponga del contenido adecuado para recibir las visitas de los usuarios.

Se puede conseguir del siguiente modo:

1. Acceder a la opción **Configuración**, situado en la zona superior derecha.
2. Pulsar sobre la opción **Visibilidad de la página**.
3. En el apartado con el mismo nombre pulsar sobre la casilla de verificación **Anular la publicación de esta página**.

Cómo crear una página basada en la conversión de un perfil personal

Aunque aún muchas marcas lo pasen por alto, las condiciones legales de Facebook prohíben expresamente la utilización de perfiles personales como representación empresas, marcas o productos profesionales en la plataforma social.

Sí, es cierto, hay millones de perfiles representando marcas (y cosas mucho peores), pero eso no significa que no se estén infringiendo las normas. De hecho, Facebook se reserva el derecho a eliminar esos perfiles si lo cree necesario y un día cualquiera podemos levantarnos y ver cómo de repente el perfil de nuestro negocio ha desaparecido y con él toda su información, sin previo aviso. Con la ley en la mano, no tenemos nada que hacer.

La necesidad de convertir un perfil en una página es también muy requerida por usuarios que comenzaron su andadura en Facebook creando un perfil personal como imagen de una marca y que se encuentran ahora con las limitaciones típicas de este tipo de cuenta. En muchos casos este tipo de perfiles sobrepasan los 5.000

"Me gusta" y la comunicación es resulta imposible, no pueden añadir nuevas funcionalidades a través de aplicaciones, es difícil tener el control y la analítica de la audiencia no existe.

Curiosidad

Una gran mayoría de usuarios que se lanzaron hace años a dar visibilidad a una marca o negocio a través de un perfil personal, se encuentran ahora con algunas incongruencias que parecen difíciles de resolver. Seguramente el tiempo habrá hecho que, poco a poco, el perfil disponga de un buen número de amigos, conversaciones y conexiones, tanto personales como profesionales. Entonces ¿qué hago? Pues muy claro, convertir el perfil personal de la marca en un página.

Figura 6.8. Para los usuarios que disponen de un perfil y desean convertirlo en una página, el proceso para crear una copia instantánea.

Pues bien, para ayudar a todos estos usuarios, y a pesar de que siempre ha sido una utilidad controvertida que Facebook ha activado y desactivado constantemente, en estos momentos existe una opción que en muy pocos pasos permite convertir un perfil personal en una página y así migrar parte de la información sin problema.

Sin embargo, antes de comenzar la conversión es necesario, imprescindible, realizar una copia de seguridad de los contenidos y datos del perfil. Esto nos va a permitir guardar los siguientes datos:

✓ Cualquier fotografía o vídeo se haya compartido.

✓ Las publicaciones, conversaciones y mensajes del chat.

✓ Los nombres de los amigos y las direcciones de correo electrónico según su nivel de privacidad.

Conociendo toda la información de antemano, es el momento de realizar el proceso de copia de seguridad de los datos del perfil. Para ello hay que completar los siguientes pasos:

✓ Pulsar sobre el menú **Configuración**, situado en la parte superior derecha de la página.

✓ En el apartado General, pulsar sobre **Descarga** una copia de tu información, al final de la página.

✓ Pulsar sobre **Crear mi archivo.**

✓ Una vez hecho esto, Facebook enviará un correo electrónico al usuario cuando el fichero esté disponible para su descarga

Una vez hecho esto, ya se está en disposición de completar el proceso de creación de una página basada en un perfil personal. El proceso es muy elemental, basta con realizar estas sencillas acciones:

1. Acceder al perfil de Facebook que se desea convertir.

2. A continuación teclear: (`Facebook.com/Pages/Create/Migrate`) en la barra del navegador.

3. Aparecerá la pantalla Crea una página de Facebook basada en tu perfil.

4. En ella, pulsar sobre el botón **Empezar.**

5. En unos pocos segundos aparecerá la nueva página con la información básica del perfil.

Importante

Hasta el momento, por desgracia, el contenido (como actualizaciones de estado, comentarios, etc.) no se migra y publica automáticamente, y en el proceso de creación de la nueva página se perderán. Aunque a través del proceso de copia de seguridad podremos salvarlo en un sistema de almacenamiento local.

Una vez realizado este proceso el perfil personal seguirá existiendo, como si nada hubiera pasado, pero sin embargo se habrá añadido una nueva página administrada por él y con el mismo nombre al listado de páginas. La información que se transferirá automáticamente es:

✓ La fotografía actual del perfil se convertirá en la fotografía del perfil de la página.

✓ La imagen de la portada se convertirá en la imagen de la portada de la página.

Después es posible invitar a los amigos del perfil a que hagan "Me gusta" en la nueva página y transferir los álbumes de fotografías desde el perfil personal. Para ello la nueva página mostrará, durante 14 días, un mensaje con un enlace que permite mover toda esta información del perfil personal a la página, algo que no se ha realizado automáticamente durante la creación de la nueva página.

Identificar y segmentar al usuario del contenido

Por qué es importante la segmentación

El usuario es el centro, es el rey de toda estrategia de visibilidad social y en Facebook eso no es distinto. Como diría un *Millennial*, el usuario es "el puto amo". Debe ser, sin excusas, el centro de cualquier estrategia desarrollada a través de una página en Facebook.

Tras definir claramente los objetivos de la estrategia de visibilidad (capítulo 3) y después de analizar los datos recabados en la fase de investigación (capítulo 1) y monitorización (capítulo 2), es el momento de identificar y segmentar el público objetivo de la página recién creada. De algún modo se deben responder preguntas como:

- ✓ Quién es.
- ✓ Dónde se sitúa geográficamente.
- ✓ Qué edad tiene.
- ✓ Cuál es su sexo.
- ✓ Qué intereses tiene.
- ✓ Qué idioma habla.

Truco

Una fórmula muy efectiva para conocer con mayor detalle al usuario activo de las plataformas sociales consiste en aprovechar las características de segmentación de sus sistemas de publicidad. Por ejemplo, podemos "simular" una campaña pagada de promoción en Facebook Ads. De este modo es posible obtener métricas sobre audiencias específicas, gustos, estudios, etc.

En la puesta en marcha del proyecto de visibilidad en Facebook es vital analizar en detalle y verificar que el público objetivo, el usuario al que estarán enfocadas las acciones de contenido, tiene presencia en la plataforma social y ayudará a la marca a conseguir sus objetivos.

Hay que recordar siempre que Facebook, y las redes sociales en general, no son de las marcas, son de las personas, son de los usuarios. Esto va sobre sobre gente, sobre audiencias, no sobre negocios.

Herramienta imprescindible

FACEBOOK ADS MANAGER. La herramienta de publicidad de Facebook, además de actuar como una aplicación de promoción pagada, bien utilizada, resulta imprescindible para identificar un público objetivo concreto y, lo que es mejor, conocer sus datos demográficos, gustos, temas de interés, implicaciones, formación, etc.

(`Facebook.com/Ads/Manager`) Gratuita.

Uno de los ingredientes secretos para la obtención del público objetivo adecuado se basa también en conseguir comprender las emociones del usuario o consumidor, todo a través de sus acciones e interactividad en Facebook. Aquí la información no radica en la cantidad sino la calidad. A día de hoy tenemos todo tipo de herramientas para monitorizar y analizar las acciones y publicaciones en tiempo real del usuario (como se explica en los capítulos 1 y 2). Podemos conocer con detalle qué dice sobre productos, sobre temas de moda, y lo más importante, cómo se sienten ante determinadas publicaciones, noticias o reacciones.

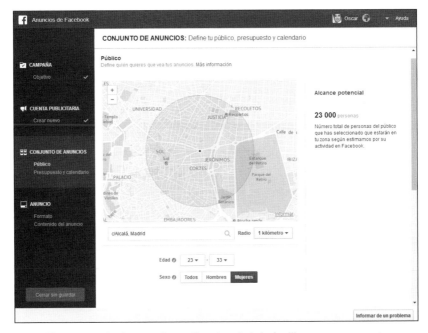

Figura 7.1. La herramienta Facebook Ads facilita enormemente el conocimiento del público objetivo y las posibilidad de segmentación de audiencias.

Herramienta imprescindible

KLOUT. Es la aplicación de referencia a la hora de analizar la influencia social de un usuario. Lo hace a través de un índice propio que muestra un informe detallado con puntuaciones como el *Klout Score* (el tamaño y la fuerza del círculo de influencia), *True Reach* (su alcance real), *Amplification* (la probabilidad de sus mensajes generen *retweets* o conversaciones) y *Network* (la influencia de los contactos que interactúan con la cuenta). Es una herramienta muy completa que muestra infinidad de resultados como influenciadores, influenciados, evolución de los parámetros de medida o una clasificación del usuario según su actividad y comportamiento.

(`Klout.com`) Gratuita.

Cómo detallar un perfil de usuario objetivo

La marca debe estar allí donde se encuentre su usuario, su audiencia, su comunidad. Debe hablar su idioma y adaptarse a sus necesidades. De ahí la relevancia de Facebook como red basada en los intereses del consumidor. Un "Me gusta" es el camino más adecuado para actuar sobre un interés específico del usuario.

Truco

Si se detecta, a través del proceso de monitorización, que un usuario habla de una marca rival, sobre todo si lo hace descontento, es susceptible de tener interés por mi marca.

Tabla 7.1. Qué se debe conocer de la audiencia.

OPCIONES SOCIALES
Hombres o mujeres
Singles, parejas, familias...
Edades de promedio
Nivel adquisitivo
Familia

OPCIONES DEMOGRÁFICAS
País, provincia y ciudad donde viven
País, provincia y ciudad donde trabajan

OPCIONES SOBRE INTERESES
"Me gusta" en marcas
Gustos y aficiones en el tiempo libre
Contenido compartido y recomendado

OPCIONES TECNOLÓGICAS
Dispositivos de que disponen
Tiempo de uso de los dispositivos
Tipo de uso de los dispositivos

OPCIONES DIGITALES

Tiempo de estancia en Facebook

Contenidos y servicios que busca

Hábitos de consumo de información en Facebook

Sitios y marcas de consulta habitual

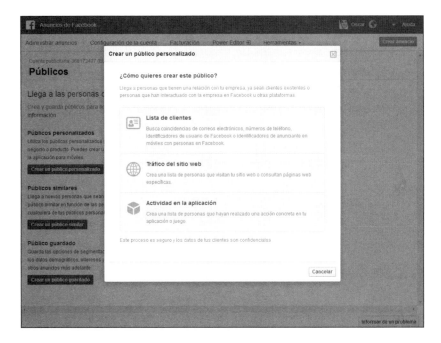

Figura 7.2. Facebook dispone de diversas opciones que pueden ayudar en el proceso de identificación de la audiencia de una marca.

En ocasiones, a la hora de segmentar el perfil del usuario consumidor de la marca, equivocamos quién puede ser el cliente real, el prescriptor de la propuesta. Debemos recordar siempre que estamos ante el proceso de identificación del público objetivo de una página en Facebook, el cual no necesariamente tiene que coincidir con los destinatarios del producto o servicio.

Truco

Para comenzar es preciso disponer de una imagen lo más detallada posible del usuario objetivo. Conocer motivaciones e intereses del usuario al que vamos a dirigir el contenido nos permitirá aprovechar tácticas adecuadas y cercanas a la personalización.

EJEMPLO. Pensemos en una campaña para la facilitar la conversión en ventas de un juguete revolucionario que responde a las órdenes a través de una app, para niños entre 7 y 12 años y con un precio de 70 euros.¿Es realmente un niño el destinatario de la acción en Facebook? ¿Dispone de un perfil en la plataforma? ¿Puede desembolsar ese dinero? Evidentemente, analizándolo así, no. Lógicamente se debe dirigir la acción hacia públicos objetivos más cercanos a padres con hijos de esa edad. Eso sí, al padre con sus singularidades y a la madre con las suyas.

Cómo puede ayudar una comunidad a segmentar adecuadamente

Uno de los modos más adecuados para segmentar audiencias, que siempre resulta exitoso, se basa en la creación de comunidades para la identificación, vinculación y fidelización de usuarios. "El Manifiesto *Cluetrain*" lo deja claro, "los mercados son conversaciones", y como tal las conversaciones positivas siempre culminan en acuerdos o compromisos.

Los esfuerzos por desarrollar una segmentación tradicional en Facebook son cada vez más complicados si no se llevan a cabo campañas de promoción pagada.

De hecho, a pesar de las opciones de segmentación en las publicaciones, aún es una utopía la posibilidad de poder personalizar un trato único a cada usuario, algo que nos lleva a buscar nuevas formas, nuevos modelos, para tratar de agrupar a la audiencia buscando sus similitudes.

Figura 7.3. Los partidos políticos han sabido entender muy bien las posibilidades que ofrece Facebook a la hora de crear comunidades para segmentar a la audiencia.

Curiosidad

Cuando una aerolínea crea una página para hablar de viajes, cuando una marca de productos deportivos ingenia un grupo de Facebook para compartir recetas saludables, cuando una operadora móvil desarrolla grupos para intercambiar trucos sobre dispositivos o cuando una marca de moda genera una campaña para mostrar imágenes con estilos urbanos, están facilitando la conversación, la interacción y el *engagement* con usuarios con intereses muy cercanos a lo que ofrecen.

Las ventajas de generar una comunidad son incontestables. Un usuario que se siente miembro de una comunidad tiene intereses comunes, sentimientos cercanos, compromiso diálogo y apoyo constante del resto de los componentes. Y por el lado del proyecto de visibilidad en Facebook, es uno de los ⁻ ¦ŀⱷs más adecuados para segmentar y ha sido estrategia clave en muchos proyectos de éxito.

Un ejemplo claro de los modelos dirigidos a la formación de comunidades lo protagonizan, por ejemplo, los partidos políticos. En los últimos años han redirigido sus estrategias a socializar las experiencias de sus votantes y, de este modo, están trabajando con conceptos más cercanos a comunidades que a partidos políticos. Sus páginas en Facebook así lo demuestran.

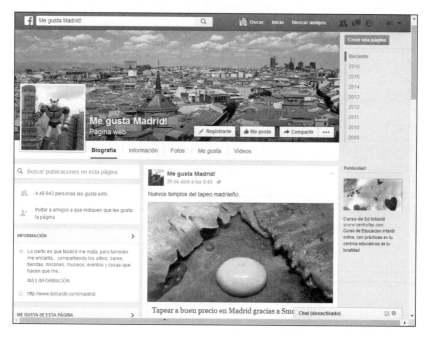

Figura 7.4. Las comunidades con intereses y gustos compartidos ofrecen muchas posibilidades de conversión para una marca. Ciudad que gusta es igual a usuario que quiere viajar.

En España, los integrantes del Partido Popular se autodenominan a sí mismos como Populares, los integrantes del Partido Socialista Obrero Español se autodenominan a sí mismos como Socialistas e incluso han aparecido nuevos partidos políticos de gran relevancia con nombres como Ciudadanos, Vecinos o Verdes. Incluso han cambiado sus logotipos y *claims*. El objetivo es claro, generar implicación en el votante a través del sentimiento de pertenencia a una comunidad y que, de este modo, las experiencias se socialicen de un modo más sencillo.

Cómo configurar el "público preferido" de la página

El proceso de creación de una página de marca pone a disposición del administrador, desde el primer momento, un asistente que facilita la elección de lo que Facebook denomina "público preferido".

Importante

Si no se ha configurado un público preferido para la página durante el proceso de creación de la página se podrá acceder a la opción con el mismo nombre en el menú Configuración. En caso de que se haya realizado el proceso esta opción no volverá a aparecer.

Con la configuración de este apartado es posible decidir qué público es el más adecuado para recibir las actualizaciones de contenido que mostrará la página. Cualquier usuario puede encontrar la página y acceder a ella pero Facebook facilitará su visualización al usuario objetivo que se configure en esta opción.

En caso de que durante el proceso de creación de la página se haya omitido esta acción, se puede completar siguiendo estos pasos:

1. Acceder a la opción Administrar páginas del menú principal y elegir la página.
2. Pulsar sobre el menú Configuración.
3. Seleccionar la opción Público preferido de la página situada a la izquierda.

Esta sección ofrece la posibilidad de seleccionar a la audiencia según su ubicación, edad, género, intereses e idiomas. De algún modo se puede segmentar al público objetivo del contenido por:

- ✓ Lugares de conexión y situación geográfica del usuario. Entendiendo como países, estados/provincias, ciudades o códigos postales donde se encuentra.
- ✓ Edades mínimas y máximas del usuario. A partir de los 13 años.

✓ Sexo del usuario. Hombres, mujeres o ambos.

✓ Gustos temáticos del usuario. Los intereses, actividades, páginas en las que ha hecho "Me gusta" y los temas relacionados con las páginas elegidas.

✓ Lenguas de preferencia del usuario. Es decir, los idiomas en los que consulta el contenido.

Figura 7.5. Si no se ha hecho antes, el apartado Configuración ofrece la posibilidad de elegir un público adecuado para el contenido de la página.

Cómo segmentar las publicaciones por intereses temáticos

Una de las opciones más interesantes a la hora de hacer llegar el contenido de la página a la audiencia adecuada tiene que ver con la posibilidad de segmentar la publicación de piezas según los intereses del público objetivo al que desea llegar la marca. De un modo individual es posible ofrecer contenido enfocado, en temática, a las personas más adecuadas.

Curiosidad

Es cierto que la segmentación de las publicaciones por intereses puede limitar el tamaño del público al que alcanzará la pieza pero, sin duda, potencia el aumento de interacción del usuario con respecto al contenido. Y esto, al fin y al cabo, siempre desemboca en conversión.

Es cierto que utilizando la segmentación por intereses disminuye el número de usuarios que ven las piezas de la marca, pero se consigue acceder a segmentos de audiencia mucho más interesados y activos con respecto al contenido, lo que siempre concluye en un incremento del alcance orgánico, el tráfico y, por lo tanto, la conversión.

Truco

Activando la segmentación de publicaciones por intereses también se añadirán nuevas posibilidades de analítica específica de la pieza. Esto permite obtener aún más conocimiento sobre los intereses y gustos de los seguidores de la marca.

Sin embargo, Facebook no ofrece esta posibilidad por defecto. Para poder aprovechar la segmentación de publicaciones por intereses es necesario activar la opción dentro del apartado Configuración. Para hacerlo basta con:

1. Acceder a la opción Administrar páginas del menú principal y elegir la página.
2. Pulsar sobre el menú Configuración.
3. Elegir la opción Público de la sección de noticias y visibilidad de las publicaciones.
4. Marcar la casilla "Permitir las opciones de selección de público..."

Una vez hecho esto, la segmentación por intereses estará disponible a través de un nuevo icono denominado Acotar el público situado en la zona inferior del cuadro de creación de la pieza. Con el mismo funcionamiento que otros tipos de segmentación de las publicaciones.

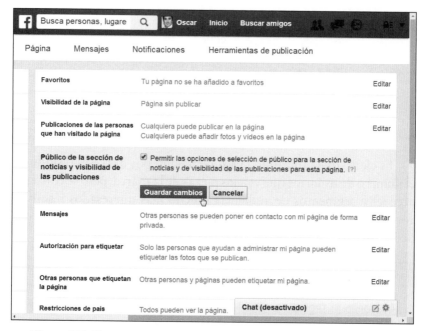

Figura 7.6. Una vez seleccionada esta opción, será posible publicar contenido segmentando la audiencia.

Cuando se cree una nueva publicación de la página, a través del cuadro de diálogo Segmentación de la sección de noticias, se podrá elegir qué personas la verán según su interés, sexo y la edad del usuario objetivo. También es posible controlar quién verá la publicación en la biografía de la página, limitando el público por lugar e idioma

Qué se obtiene al segmentar publicaciones por intereses temáticos

La optimización de la publicación de piezas según los intereses de la audiencia de la marca es una herramienta muy potente de focalización orgánica del contenido.

Esta característica ayuda enormemente a la marca a alcanzar y atraer audiencias específicas en Facebook, pero también a entender mejor los intereses de los usuarios.

De algún modo, esta opción permite mejorar la relevancia del mensaje lo cual facilita la consecución de objetivos cercanos a la interacción y el *engagement*.

Es importante reseñar que aporta características de gran valor para la marca como:

- ✓ **Audiencia enfocada a intereses temáticos.** Permite añadir palabras clave con respecto a los intereses de contenido del usuario, algo que ayuda a conectar con la audiencia de Facebook en temas relevantes para la marca.

- ✓ **Restricciones de audiencia.** Permite limitar la visibilidad de las piezas de contenido mediante la especificación del público objetivo al que no le resulta relevante. Se puede especificar según su ubicación, idioma, edad o sexo. Es una característica que se puede utilizar junto con las opciones de segmentación por intereses.

- ✓ **Analítica sobre la audiencia.** Permite obtener datos muy relevantes sobre el público que consume el contenido de la página de la marca. Una vez activada la segmentación de publicaciones por intereses también se añadirán nuevas posibilidades de analítica específica de la pieza en el apartado Estadísticas. Esto permite obtener métricas cercanas al alcance temático y un conocimiento más detallado sobre los intereses y gustos de los seguidores de la marca.

Cómo limitar la visualización de publicaciones según la audiencia

Del mismo modo que es posible segmentar la publicación de piezas según los intereses del público objetivo al que desea llegar la marca, Facebook también facilita la posibilidad de restringir la visibilidad del contenido para que no sea accesible para un determinado tipo de usuario.

Para poder aprovechar esta característica es necesario activar previamente la opción adecuada dentro del apartado Configuración, ya que no se encuentra activa por defecto. Para hacerlo basta con:

1. Acceder a la opción Administrar páginas del menú principal y elegir la página.
2. Pulsar sobre el menú Configuración.
3. Elegir la opción Público de la sección de noticias y visibilidad de las publicaciones.
4. Marcar la casilla "Permitir las opciones de selección de público..."

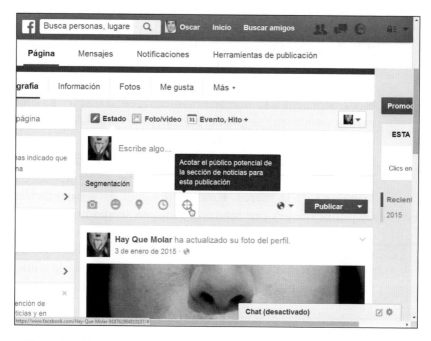

Figura 7.7. Un pequeño icono bajo la publicación permite seleccionar el público objetivo de la pieza de contenido.

Tras esto, cada vez que se cree una nueva publicación de la página, a través del cuadro de diálogo Restricciones de público o el menú de segmentación, se podrá limitar la visualización de la pieza. Esta característica posibilita la exclusión de usuarios según edad, sexo, ubicaciones e idiomas.

Configurar las opciones de visibilidad

Cuáles son las opciones mínimas de configuración estética

Si no se ha hecho durante el proceso de creación de la página, nada más acceder a ella por primera vez, sin que aún se haya creado ningún tipo de contenido, Facebook propone un asistente con 3 opciones para comenzar a dar los primeros pasos y facilitar la cumplimentación de los datos de configuración.

Estos son los pasos de los que dispone el asistente:

✓ **Añadir una foto del perfil.**

Es muy importante añadir una imagen suficientemente significativa, de calidad y acorde a los objetivos marcados. Puede contener un logotipo, una imagen corporativa o incluso una imagen de un producto de la marca.

✓ **Añadir una foto de portada.**
Del mismo modo que la foto del perfil, la foto de portada forma parte de las opciones creativas de la página y es un espacio que facilita la inclusión de una imagen grande que puede incluir mensajes, claims o incluso diseños conceptuales referentes a la marca.

Truco

El mejor modo diseñar las imágenes de perfil y portada es utilizar una herramienta de diseño como Canva (Canva.com) ya que dispone de diseños a tamaños adecuados para su publicación automática. De este modo el aspecto final de la página será realmente profesional.

✓ **Añadir información de contacto.**
Es un apartado que permite incluir los datos básicos de referencia sobre la página. Entre ellos el teléfono, sitio Web, correo electrónico, dirección física, ciudad y código postal. Estos datos podrán ser visualizados por el usuario en el apartado Información de la página y facilitan el proceso de posicionamiento de la página para que pueda ser encontrada más fácilmente cuando un usuario realiza búsquedas en Facebook.

Truco

Si en los datos de información sobre una página la marca dispone de una dirección física, y se incluye en este apartado, el usuario de Facebook podrá ver la página y registrar una visita con los lugares de Facebook.

Herramienta imprescindible

CANVA. Es una herramienta de creatividad en la nube que ofrece plantillas prediseñadas para la creación automática de fotos de perfil y portada de Facebook, así como imágenes específicas para posts, eventos y

Facebook Ads. Es muy sencilla de utilizar, intuitiva y completa. Con poco esfuerzo se consiguen grandes resultados estéticos sin precisar grandes conocimientos de diseño. Ofrece creatividades simples, minimalistas, con paletas de colores que proporcionan diseños limpios y atractivos y una selección completa de fuentes para combinarlas. Además permite utilizar imágenes propias para añadir a los trabajos.

(Canva.com) Gratuita.

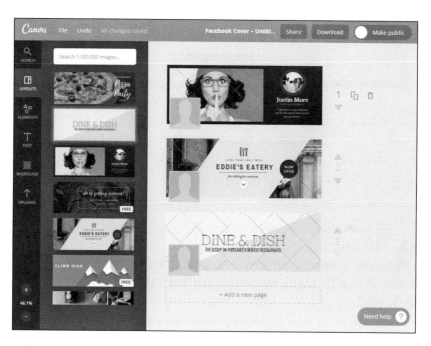

Figura 8.1. Canva (Canva.com) ofrece plantillas con diseños muy creativos para personalizar la portada de una página de Facebook.

Para finalizar el proceso basta con hacer clic sobre el botón Publicar. Hecho esto, la página dispondrá de las opciones mínimas de visibilidad, lo cual no quiere decir que los usuarios sepan que existe. La promoción es otro proceso distinto que se tratará en un capítulos posterior.

Dónde establecer las configuraciones esenciales

Una vez realizado el proceso de creación de la página y tras cumplimentar las primeras opciones a través del asistente para completar la información, es el momento de comenzar a configurar los aspectos clave de visibilidad y de dotar de información a la página. Es decir, debemos comenzar a alinear las características de la página para adaptarla a los objetivos propuestos.

Importante

Hasta que la página de la marca no disponga del contenido adecuado publicado, y sobre todo alineado a los objetivos marcados, no conviene realizar ningún tipo de acción para facilitar su visibilidad ni promoción. Ni siquiera aunque lo proponga el propio Facebook, sería un error. Nadie quiere visitas en casa cuando los platos están sin fregar y las camas están sin hacer. No conviene dar mala imagen.

Sin embargo hay un paso previo, completamente obligatorio, que conlleva la configuración de algunos parámetros vitales para el control, mantenimiento y visibilidad de la página que es necesario revisar. De algún modo se trata de establecer la configuración de la página.

Para realizar esta labor es preciso acceder a la página a configurar y, como administrador, pulsar sobre el botón Configurar, situado en el menú situado en la zona superior derecha.

Una vez hecho esto, es posible acceder a los siguientes apartados:

✓ **General.**
Permite personalizar gran parte de las opciones de visibilidad. Gracias a esta opción es posible configurar las restricciones de país y edad, así como establecer normas sobre palabras malsonantes, idiomas, comentarios, etc. También dispone de apartados para eliminar la página o anular su publicación de un modo momentáneo.

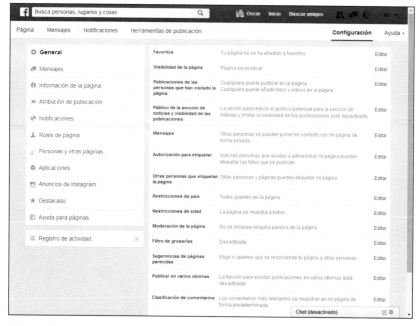

Figura 8.2. Para configurar los aspectos clave de visibilidad es necesario conocer todas las opciones de configuración de la página.

✓ **Mensajes.**

Ofrece todo tipo de opciones para adaptar y ajustar los datos que ofrece la página al usuario con respecto al tiempo de respuesta, horarios de trabajo, respuestas automáticas, respuestas instantáneas, saludos de Messenger, etc. Es el mejor modo de configurar los datos más concretos sobre el tiempo que se encuentra activa, por ejemplo, una marca que ofrece visibilidad a un restaurante, tienda, servicio de atención al cliente, etc.

✓ **Información de la página.**

Es el apartado para incluir todos los datos importantes sobre la marca, para no dejar nada que sea necesario que el usuario conozca. Dependiendo del tipo de página que se haya creado aparecerán distintas opciones pero básicamente se podrá incluir información a cerca de su categoría, dirección, horario comercial, propiedad, premios, productos, teléfono, sitio Web, etc.

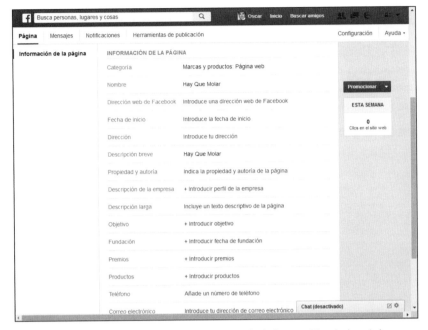

Figura 8.3. Es vital completar el apartado Información de la página. Los datos que se incluyan permitirán al usuario encontrar la página.

✓ **Atribución de la publicación.**

Las opciones de este apartado ofrecen la posibilidad al administrador de publicar bajo el nombre de la página o bajo el nombre de su perfil personal. Es decir, tras publicar una pieza de contenido ésta se le atribuirá a la marca o a la persona que la ha publicado. Y como tal aparecerá en el muro del usuario.

✓ **Notificaciones.**

Facilita el control de todo lo que sucede de interés con respecto a la página a través de la activación y desactivación de las notificaciones, mensajes y correos electrónicos que recibe el administrador o administradores.

✓ **Roles de página.**

Gracias a esta opción es posible añadir nuevos administradores, con sólo introducir el correo electrónico asignado a su perfil personal en Facebook. También permite añadir perfiles que trabajen en la página y que pueden tener una función diferente dependiendo de las tareas que necesiten realizar. En este caso roles de editor, moderador, anunciante y analista.

✓ **Personas y otras páginas.**

En este apartado se puede acceder al listado de usuarios y páginas que han hecho "Me gusta" en la página activa, es decir a los seguidores de la marca. También ofrece una lista de las personas bloqueadas por la página.

✓ **Público preferido de la página.**

Con la configuración de este apartado es posible segmentar al público elegido para mostrar la página. Cualquier usuario puede encontrar la página y acceder a ella pero Facebook facilitará su posicionamiento al usuario objetivo que se configure en esta opción.

Figura 8.4. Si no se ha definido anteriormente, es importante indicar la segmentación ideal de la audiencia. Facebook lo tiene en cuenta a la hora de mostrar la página a los usuarios.

✓ **Aplicaciones.**

Ofrece opciones para el control de las aplicaciones agregadas a la página y permite acceder a la configuración de cada una de ellas. Es un listado que puede aumentarse con la opción Aplicaciones que podrían gustarte.

✓ **Anuncios de Instagram.**

En caso de que la marca disponga también de una cuenta de Instagram, gracias a este apartado, puede realizar acciones de promoción a través de anuncios en la plataforma de Facebook. Desde esta opción se puede conectar con la cuenta y comenzar el proceso de compra de espacios patrocinados.

✓ **Destacado.**

Ofrece la posibilidad de configurar la visibilidad, con respecto al visitante de la marca, de otras páginas que la propia página ha indicado como "Me gusta" y que se mostrarán como Me gusta de esta página en la columna izquierda.

Cómo llevar a cabo las acciones de configuración más importantes

No hay duda alguna de que Facebook ofrece grandes posibilidades de personalización y configuración con respecto al control de la visibilidad de la página de una marca. Pero posiblemente por ello, por el gran número de opciones de que dispone, muchas de las accionse relevantes de configuración quedan escondidas o resulta complicado acceder a ellas.

Por esta razón a continuación se muestra el modo de realizar algunas operativas muy habituales para el administrador de una página de Facebook.

Qué hacer para limitar las publicaciones de los usuarios

1. Acceder a la opción Administrar páginas del menú principal y elegir la página.

2. Pulsar sobre el menú Configuración.
3. Seleccionar la opción General.
4. Hacer clic sobre el enlace Editar del apartado Publicaciones de las personas que han visitado la página.

Por defecto, en una página de Facebook cualquier usuario puede publicar y también añadir todo tipo de fotografías y vídeos. Sin embargo, gracias a esta opción de configuración, es posible limitar las posibilidades de publicación de los usuarios e incluso anular la posibilidad de que lo hagan.

Cómo ocultar o anular temporalmente la visibilidad de una página

1. Acceder a la opción Administrar páginas del menú principal y elegir la página.
2. Pulsar sobre el menú Configuración.
3. Seleccionar la opción General.
4. Hacer clic sobre el enlace Editar del apartado Visibilidad de la página.

En este apartado es posible marcar la casilla de verificación denominada Anular la publicación de esta página para que no sea visible para el usuario, ni tan siquiera a través de una búsqueda. A partir de este momento la página estará oculta. Si podrán verla todos aquellos perfiles que tengan algún rol de administración en ella. En cualquier momento se podrá hacer visible de nuevo a través de esta opción.

Truco

Una vez que se anula la publicación de una página ésta no volverá a ser visible por los usuarios hasta que se vuelva a activar su publicación. Para hacerlo se deben seguir los mismos pasos que para anularla, desmarcando la casilla situada junto a Anular la publicación de esta página.

Cómo fusionar dos páginas para convertirlas en una

1. Acceder a la opción Administrar páginas del menú principal y elegir la página.
2. Pulsar sobre el menú Configuración.
3. Seleccionar la opción General.
4. Hacer clic sobre el enlace Editar del apartado Fusionar páginas.
5. Una vez hecho esto será necesario solicitar la fusión a través de un formulario que permite seleccionar los nombres de las dos páginas a unir.

Esta opción facilita la posibilidad de unir dos páginas administradas por un mismo perfil, siempre que tengan nombres similares y representen a la misma marca o concepto. De este modo Facebook entiende que las páginas están duplicadas y facilita su fusión. Una vez realizado el proceso los "Me gusta" y las visitas de ambas páginas se combinarán y quedará reflejado en la página resultante.

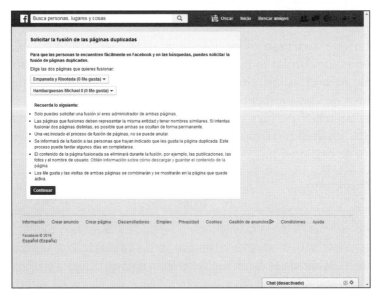

Figura 8.5. Hay que tener en cuenta la posibilidad de fusionar dos páginas, siempre que representen la misma marca o concepto. No es adecuado replicar el contenido en distintas páginas.

Importante

El proceso de fusión de páginas, una vez realizado, no se puede anular. Una vez hecho se informará de la fusión realizada a todos los perfiles que hayan hecho "Me gusta" en la página duplicada. Este proceso puede tardar algunos días en completarse.

Importante

El contenido de la página fusionada, como las publicaciones, las fotos y el nombre de usuario, se eliminará durante proceso de unificación.

Cómo eliminar una página que ya no es necesaria

1. Acceder a la opción Administrar páginas del menú principal y elegir la página.
2. Pulsar sobre el menú Configuración.
3. Seleccionar la opción General.
4. Hacer clic sobre el enlace Editar del apartado Eliminar página.
5. Como resultado de esta acción aparecerá un enlace que permite la eliminación de la página.
6. Al hacer clic sobre él, únicamente queda confirmar la acción pulsando sobre el botón Eliminar del cuadro de diálogo Delete Page Permanently.

Una vez realizado este proceso la página no se podrá recuperar de ningún modo. La eliminación es irreversible.

Qué hacer para descargar una copia de seguridad del contenido de una página

1. Acceder a la opción Administrar páginas del menú principal y elegir la página.

2. Pulsar sobre el menú Configuración.

3. Seleccionar la opción General.

4. Hacer clic sobre el enlace Editar del apartado Descargar página.

5. Una vez hecho esto será necesario pulsar de nuevo sobre el enlace Descargar página.

Esta opción posibilita la descarga de un fichero con la copia completa de la página que incluye publicaciones, fotografías y vídeos compartidos, listado de los perfiles con algún rol en la página, descripción de la configuración y los datos de la sección Información.

Figura 8.6. Nunca está de más disponer de una copia de seguridad de los contenidos de la página de la marca. Es una buena rutina realizar esta labor cada cierto tiempo.

De qué modo mostrar los comentarios del usuario

1. Acceder a la opción Administrar páginas del menú principal y elegir la página.

2. Pulsar sobre el menú Configuración.

3. Seleccionar la opción General.

4. Hacer clic sobre el enlace Editar del apartado Clasificación de comentarios.

Por defecto la página mostrará siempre los comentarios más recientes primero. Sin embargo gracias a esta opción es posible forzar a la página para que muestre los comentarios con más Me gusta o respuestas y que aparezcan en primer lugar debajo de las publicaciones. Esto también afectará a los comentarios de otras páginas y perfiles verificados.

Qué hacer ante palabras groseras y malsonantes

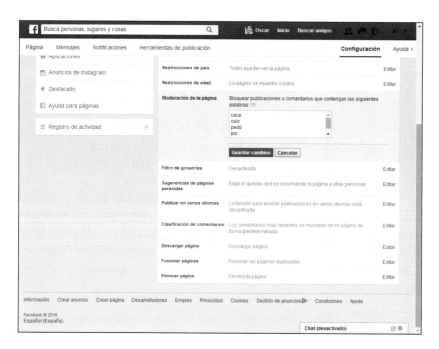

Figura 8.7. Es posible evitar que aparezcan publicaciones y comentarios malsonantes. Se deben configurar los aspectos de moderación de la página.

1. Acceder a la opción Administrar páginas del menú principal y elegir la página.
2. Pulsar sobre el menú Configuración.
3. Seleccionar la opción General.
4. Hacer clic sobre el enlace Editar del apartado Moderación de la página.

Gracias a esta opción es posible bloquear comentarios o publicaciones que contengan determinadas palabras, que pueden ser elegidas por el perfil administrador. El apartado ofrece la posibilidad de incluir un listado personalizado de palabras clave bastante amplio, con un límite de 10.000 caracteres. Los términos serán marcados por Facebook como un mensaje de *spam*, que posteriormente puede ser aprobado o eliminado por el administrador de la página.

Cuál es el modo de obtener una dirección corta y personalizada de la página

1. Acceder a la opción Administrar páginas del menú principal y elegir la página.
2. Pulsar sobre el menú Configuración.
3. Seleccionar la opción Información de la página.
4. Hacer clic sobre el enlace Dirección Web de Facebook.

Esta opción no estará disponible para páginas recién creadas que no dispongan de al menos 25 fans. En caso de tenerlos aparecerá una opción para añadir o cambiar la dirección Web e introducir la nueva. A partir de este momento, el nombre comenzará a estar operativo y puede ser utilizado por la marca para siempre.

Curiosidad

Si la página en Facebook de la marca ya tiene reservado un nombre acortado y personalizado solo se podrá cambiar una vez más. Además antes se debe comprobar si el nuevo nombre está disponible.

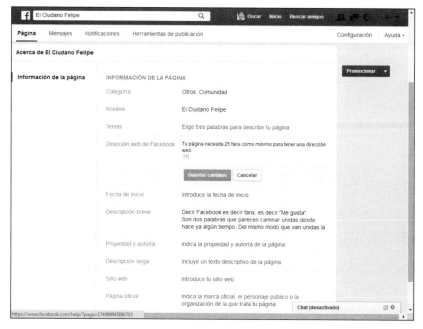

Figura 8.8. Se debe configurar la dirección Web de la página de Facebook lo antes posible, aunque es necesario tener 25 fans para poder hacerlo.

Cómo publicar contenido firmado por el usuario y no por la página

1. Acceder a la opción Administrar páginas del menú principal y elegir la página.
2. Pulsar sobre el menú Configuración.
3. Seleccionar la opción Atribución de publicación.

Esta opción permite elegir, en vez de al nombre de la página, que las publicaciones se le atribuyan a un usuario que disponga de algún rol de administración. Desde ese momento el usuario aparecerá como autor de las publicaciones, los Me gusta y los comentarios que se hagan en la biografía de la página. En cualquier caso, en el momento de publicar o responder a un comentario el usuario podrá decidir individualmente con qué autoría desea publicar.

Producir contenidos adecuados y efectivos

Cuál es la fórmula más adecuada para publicar adecuadamente

Facebook ofrece a la marca un espacio singular para comunicar y comunicarse, un espacio donde la marca debe aceptar unas reglas del juego que son iguales para todos. Bajo estas reglas del juego, la plataforma social se ha convertido en una herramienta clave para construir una visibilidad digital beneficiosa, que permite a la marca construirse una imagen digital a partir de experiencias sociales.

Estas son algunas de las premisas fundamentales para lograr aprovechar una estrategia de contenidos adecuada en Facebook:

1. El usuario es el rey y el **centro** de toda estrategia.
2. El contenido debe aportar **valor**.
3. El potencial de los mercados son las **conversaciones**.

4. No es posible controlar la conversación, aunque sí se puede **actuar** sobre ella.

5. La influencia y la **recomendación** son la base de las relaciones actuales con la marca.

6. El componente **ocio** es imprescindible en toda propuesta de contenido y acción social.

7. La diversidad de **formatos** visuales atrae la interacción.

Figura 9.1. El potencial de los mercados son las conversaciones, a traves del comentario y la recomendación.

Facebook tienen hechizado al usuario con sus enormes posibilidades de participación, crítica, publicación y colaboración. Una conversación comprometida, franca y de igual a igual con el usuario o el potencial cliente permite forjar en ellos una sensación favorable sobre una marca, un producto o un servicio. Por otro lado, el hecho de que la marca sea parte activa de conversaciones generadas en la plataforma social provoca irremediablemente alcance y tráfico, dos de los habituales objetivos de toda estrategia de visibilidad en Facebook.

Cómo publicar para conseguir el *engagement* del usuario

Los entornos digitales, y especialmente las plataformas sociales como Facebook, tienen hechizado al usuario con sus enormes posibilidades de participación, crítica, publicación y colaboración.

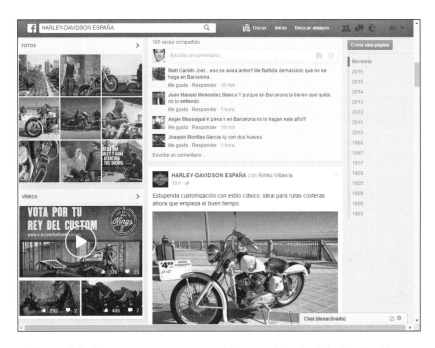

Figura 9.2. Hoy entrar en conversación con el "señor" Harley Davidson o la «señora» Coca Cola es una cuestión de segundos.

Hasta hace bien poco esto podía parecer una utopía pero hoy, el consumidor, a través de la inteligencia colectiva que proporcionan Internet y las plataformas sociales, es el eslabón más importante de la sinergia entre él mismo y el departamento de marketing, innovación o atención al cliente de una marca, por muy grande y muy multinacional que sea. Hoy entrar en conversación con el "señor" Harley Davidson o la «señora» Coca Cola es una cuestión de segundos. Una conversación comprometida, franca y de igual a igual con el usuario o el potencial consumidor permite que la marca genera, poco a poco, una sensación favorable de compromiso en él.

Herramienta imprescindible

BUZZ SUMO. Permite obtener datos de gran valor sobre el contenido publicado. Ofrece datos con respecto a las piezas más compartidas en Facebook, artículos de moda, *influencers* por contenidos, desarrollos por autores. En resumen, analíticas sobre contenidos difíciles de encontrar en otras herramientas.

(`BuzzSumo.com`) Opción gratuita.

Figura 9.3. BuzzSumo ofrece métricas relevantes sobre las piezas más compartidas en Facebook.

Ahora, el usuario de la marca, el seguidor, el cliente, debe ser el centro de la estrategia de contenidos de la marca y un protagonista clave para conseguir un desarrollo adecuado que permita consolidar los objetivos. En resumen, la página de la marca es clave para recibir gustos, intereses, críticas e ideas del usuario. Por tanto, es preciso activar el diálogo llevando a cabo una correcta publicación de contenidos enfocada en conseguirlo. Estas son algunas de las premisas fundamentales:

✓ **Diálogo.** Cuando no se publica sin más, y se intenta conversar, siempre se termina obteniendo una respuesta positiva por parte del usuario. El diálogo, como base de un flujo de comunicación en los dos sentidos, es primordial. Hay que tener una actitud receptiva y convertirse en parte de la "charla" digital cuando así lo demanda el usuario.

✓ **Cercanía.** Publicar es el mejor modo de acercarnos a nuestro público objetivo. Es preciso conseguir que el usuario/cliente no mire de lejos a la marca, acercarse a él y que él se acerque, hasta conseguir convertirse en algo habitual en su entorno cotidiano.

✓ **Coherencia.** Lo peor que puede ocurrir en una campaña de visibilidad es que la publicación de contenidos sea incoherente, por temática y por conversación. Cuidado, el usuario se acuerda de todo y puede detectar incongruencias si no hacemos un trabajo serio, íntegro y transparente.

✓ **Personalización.** A la segmentación conocida de Internet (geográfica, por contenidos, etc.) plataformas como Facebook le suman la micro-segmentación. A medida que los usuarios se identifican aportando sus datos personales, fotografías, contactos, etc., se abre un interesante abanico para generar diálogo y cercanía. Esto posibilita publicaciones muy segmentadas y personalizadas.

✓ **Integridad.** El control que tiene el usuario sobre los contenidos en Facebook es infinitamente mayor que en cualquier otro medio convencional. Esto hace que cualquier perfil pueda convertirse en el mejor embajador o en el más importante crítico de los mensajes publicados en la página. Por eso la marca debe estar preparada para recibir opiniones y tratar de aceptarlas, principalmente si éstas no son positivas. Cuando esto ocurre, el usuario esperará recibir una respuesta clara, directa y personal. Más cerca de la frescura que del encorsetamiento.

✓ **Respeto.** La publicación de contenidos debe intentar ser lo menos intrusiva y molesta posible. Es necesario que sea el usuario el que decida el nivel de su involucración con la marca.

✓ **Credibilidad.** No mentir nunca a la hora de publicar contenido; tarde o temprano se conocerá la verdad. Más temprano que tarde. Hay muchos millones de usuarios escuchando y en el entorno digitales las verdades ocultan las mentiras en minutos.

Cómo aprovechar el Marketing de Contenidos como base de la estrategia

Hoy el contenido debe ser capaz de mantener la atención del usuario, cada vez más focalizado en encontrar la satisfacción a sus emociones, para provocar promoción y fidelización. Nada fácil, por supuesto. Por tanto, el Marketing de Contenidos cambia la estructura del modelo publicitario.

Antes la estrategia consistía en "obligar al usuario", mientras que el modelo actual persigue el "atraer y convencer al usuario".

La producción de contenido centrado en el usuario debe basarse en la actitud, la conducta y el estilo de vida de su consumidor. Hoy la marca debe admitir sin contemplaciones que el Marketing de Contenidos es la mejor estrategia para adquirir visibilidad e influencia en los entornos digitales.

Importante

"Ser el contenido" es más importante que publicar contenido. *Brand Content vs Content Brand.*

Pero ¿qué es el Marketing de Contenidos? Básicamente se podría decir que es el eje central de la construcción de la nueva comunidad: social, ubicua, segmentada, conectada y retroalimentada. Se basa en la atracción. La marca llama la atención de su potencial usuario para darse a conocer, para ser visible. Después, intenta que se sienta atraído por ella y posteriormente que pueda existir una conversión. Es, en definitiva, el modo menos intrusivo de llegar al usuario e intentar seducirle.

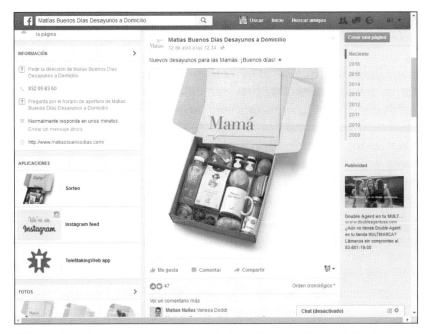

Figura 9.4. Antes la estrategia consistía en "obligar al usuario", mientras que el modelo actual persigue el "atraer y convencer al usuario".

La marca debe convertirse en un pequeño medio de comunicación que produzca contenidos relevantes. La marca que aún no lo haya hecho, va a tener que replantear su estrategia de promoción y marketing, y centrarse en crear contenido que atraiga al usuario o consumidor de forma natural. Ya no tiene sentido seguir confiando únicamente en el modelo publicitario o de promoción social, al que cada vez responden menos consumidores.

Importante

El usuario ya no solo responde proactivamente al Marketing de Contenidos, sino que además lo da por sentado. Cada vez más el usuario espera que la marca le ofrezca una página de Facebook actualizada y nutrida de información relevante. De algún modo el usuario busca que la marca genere contenido que responda sus potenciales necesidades y responda a sus posibles dudas.

Un estrategia de contenidos efectiva debe considerar el contenido como la gran herramienta para llegar al usuario. Facebook se convierte en una simple aplicación, la verdadera herramienta para llegar al usuario es el contenido. Las analíticas sobre las estrategias de Marketing de Contenidos en Facebook y sus resultados comienzan a ser lo suficientemente positivos como para que la marca, no solo no esté dispuesta a renunciar al Marketing de Contenidos, sino que además está más comprometida con invertir en su desarrollo. Pero cuidado, el Marketing de Contenidos puede resultar una estrategia sencilla de llevar a cabo y muy rentable, pero también es extremadamente lenta de establecer e impulsar.

Curiosidad

A principios de 2016 un estudio realizado por Content Marketing Institute (`ContentMarketingInstitute.com`) y MarketingProfs (`MarketingProfs.com`), apuntaba que el 76% de las empresas preveían invertir más en 2016 de lo que invirtieron en 2015 en Marketing de Contenidos y únicamente un muy reducido 2% preveía reducir su inversión.

Cuáles son las reglas para hacer Marketing de Contenidos

Todos los datos y estudios sobre Marketing de Contenidos y de cómo afecta al *engagement* del usuario para con la marca son realmente optimistas y permiten sacar conclusiones positivas sobre cómo los contenidos son la llave para llegar al usuario, por mucho que pueda parecer una labor difícil.

Truco

Si la marca produce contenido sin dificultad, es que no es de calidad, y por tanto ni adecuado ni efectivo.

Figura 9.5. Un estrategia de contenidos efectiva debe considerar el contenido como la gran herramienta para llegar al usuario.

Por si esto fuera poco, la irrupción de nuevos estilos de piezas y formatos especiales hace mucho más patente esto, ya que obliga a agudizar aún más la propuesta de contenidos de la marca. Ahora deben ser realmente atractivos para la audiencia, deben ser relevantes, únicos, útiles, segmentados, enfocados, divertidos y hacer un buen uso de cada una de las características de la plataforma en que se publicarán.

Estas son algunas reglas básicas que la marca debe conocer sobre el Marketing de Contenidos:

- ✓ El contenido es lo más **importante**, después del usuario, más que cualquier otra cosa.

- ✓ El **éxito** del contenido, es el éxito de la estrategia de visibilidad de la marca en Facebook.

- ✓ Poder comunicarse directamente con el usuario es un regalo **irrechazable**.

- ✓ "Ser el contenido" es más importante que publicar contenido. *Brand Content vs **Content Brand***.

✓ Facebook debe ser parte fundamental de la **comunicación** de la marca con el usuario.

✓ Una compañía, un producto o una marca es una **conversación.**

✓ La marca debe centrarse en los **deseos** y la opinión del usuario, es lo más importante.

✓ La **venta** viene a través del contenido.

✓ El usuario busca el contenido cercano a la **recomendación.**

✓ Una **comunidad** sólo se construye a través del contenido.

✓ El contenido es el modo más **relevante** de conectar con la audiencia.

✓ La **creatividad** y la estética de las piezas de contenido son clave.

✓ El contenido, si es **simple,** dos veces bueno.

✓ No al contenido corporativo, sí al contenido **colectivo.**

✓ El contenido relevante puede introducir al usuario en un proceso de **compra.**

✓ Si es necesario elegir, mejor contenido **visual.**

✓ Un **experto** produce siempre sus propios contenidos.

✓ En contenido, a veces, lo perfecto es **enemigo** de lo bueno.

Qué debe incluir un plan de contenidos

El hecho de definir un plan de contenidos para una estrategia de visibilidad en Facebook es uno de los procesos más importantes y a la vez más complicados que debe llevar a cabo la marca. La acción de definición del plan de contenidos debe indicar claramente a qué objetivos responderán las piezas y actualizaciones para así diseñar un plan estratégico que tenga en cuenta también los datos aportados por una investigación y monitorización previa.

Es importante desarrollar la estrategia de contenido alineándola con la idiosincrasia de Facebook y del usuario objetivo que se encuentra conversando en la plataforma.

Un resumen paso a paso de cómo debe diseñarse un plan de contenidos para utilizar en la estrategia de visibilidad de una marca:

1. Delimitar los recursos disponibles, considerando los humanos, técnicos y económicos.

2. Definir la propuesta del plan de contenidos respondiendo a los objetivos planteados en la fase previa y a los recursos disponibles.

3. Planificar el contenido, al detalle, para dirigirlo al usuario objetivo marcado en la fase previa.

4. Precisar el enfoque de las piezas para alcanzar las métricas de los objetivos planteados en la fase previa.

5. Alinear los plazos de desarrollo y publicación con los objetivos y a su periodo obligatorio de consecución.

6. Efectuar auditorías analíticas semanales sobre la evolución de la estrategia.

Con el diseño de la estrategia de contenidos por fin se pone en marcha el proceso de toma de decisiones con respecto a los detalles. Es el momento de decidir qué contenido se va a ofrecer y bajo qué premisas. Es decir, el global de las piezas y su enfoque. De algún modo se trata de concretar cómo y qué vamos a ofrecer al usuario, al fan, al seguidor, al posible cliente… en definitiva, al público objetivo.

Cómo definir el plan de contenidos vinculado a la estrategia

Como se ha podido ver con anterioridad, si hay algo que es imprescindible para conformar una propuesta eficaz y efectiva de visibilidad en Facebook es el plan de contenidos.

El plan de contenidos es el mejor modo de concretar qué piezas de comunicación vamos a publicar, a la vez que sirve para definir tipologías, sumar conceptos, definir formatos y, sobre todo, establecer un calendario de producción y publicación que permita determinar los procesos para estructurar, organizar, gestionar y producir el contenido.

Un plan de contenidos adecuado debe establecer y definir:

✓ Los **recursos** humanos y económicos disponibles.

✓ La línea **editorial** de las piezas (textos, titulares, copys...).

✓ La línea **gráfica** de las piezas (tipografías, imágenes, colores...).

✓ La línea **política** de producción de contenido.

✓ La organización y gestión de las **fuentes** de datos

✓ La sistematización y la **curación** de la información externa.

✓ Las **herramientas** de producción adecuadas a la naturaleza de las piezas.

✓ El **calendario** editorial.

✓ Las labores y responsabilidades del **equipo** humano con respecto al calendario editorial.

✓ La **analítica** de los resultados.

✓ El plan de **optimización** del contenido tras el análisis de los resultados.

En resumen, un plan de contenidos es el único modo que tiene la marca de concretar qué piezas de comunicación va a publicar, a la vez que sirve para definir tipologías, formatos y, sobre todo, establecer un calendario de producción y publicación.

Qué se debe incluir en un calendario editorial

Si profundizáramos en el *modus operandi* habitual de las marcas en Facebook comprobaríamos como gran parte de ellas carecen de una estrategia de contenidos debidamente documentada, con un plan de contenidos y su correspondiente calendario editorial. Este hecho puede resultar clave para el éxito de la estrategia de visibilidad de una marca en Facebook. Lo adecuado es diseñar una estrategia que incluya un calendario editorial, en base al plan de contenidos.

El calendario editorial debe ser un documento que incluya los detalles del plan de contenidos y, además de manera muy especial, las fechas de producción y publicación, espacios, proveedores de contenidos, roles, métricas y responsabilidades, según los objetivos propuestos con anterioridad.

Figura 9.6. Existen aplicaciones específicas para el diseño de calendarios editoriales para plataformas sociales.

Por otro lado, un calendario editorial puede ser un documento tipo *template*, plantilla o *worksheet* que permita reproducir y planificar todas las tácticas asociadas a la producción del contenido de la marca para su utilización en su página. Pero cuidado, tendrá efecto y será aún más valioso si se encuentra disponible en la nube y si es posible su modificación por distintas personas, en cualquier momento y lugar.

Para conseguir esto podemos utilizar, por ejemplo, una hoja de cálculo prediseñada y guardada en Drive de Google, compartida entre todos los componentes del equipo.

EJEMPLO. Una página en Facebook nacerá con 15 actualizaciones previamente producidas que incluirán un GIF animado o un vídeo cada una. Tras su lanzamiento se publicará tres piezas diarias con, al menos, una infografía, un vídeo o un GIF animado, y 8 veces al mes se redirigirá el tráfico al sitio Web corporativo para mostrar productos de la marca. Toda esta "película" debe poder ser gestionada y planificada a través de un calendario editorial.

Un calendario editorial o la plantilla correspondiente de gestión debe incluir al menos:

- ✓ Título de la pieza.
- ✓ Categoría de la pieza.
- ✓ Fecha de producción y de publicación.
- ✓ Autor.
- ✓ Palabras clave y etiquetas.
- ✓ Tipología, de pieza.
- ✓ Formato de la pieza.
- ✓ Elementos adicionales.
- ✓ Métricas de análisis.
- ✓ Promoción y *Call to action* relacionado.
- ✓ Estado.

Cómo trazar el plan de lanzamiento y publicación

Una vez seleccionado el contenido y elegida la política de publicación es el momento de trazar el plan de lanzamiento. Un plan que asegure que la primera visita a la página mostrará lo más adecuado de la marca en la página.

El plan de lanzamiento debe ser conservador pero inflexible con respecto a la calidad de contenidos y los tiempos de puesta en marcha y actualización (calendario editorial). Debe ir de menos a más, y nunca al revés. Debe funcionar como la alimentación de un bebé, muchas veces al día y la cantidad necesaria.

Hay que tener en cuenta, como ya se ha dicho, que los contenidos, tengan el formato que tengan, deben adaptarse a los intereses del público objetivo y a las características propias de la página.

Bajo estos principios, este podría ser un ejemplo muy básico de un adecuado plan de lanzamiento, con las piezas más efectivas y mínimos contenidos para comenzar. El proceso básico por fases sería el siguiente:

1. Preparar la página estéticamente para la visita de nuevos usuarios.
2. Optimizar al máximo todas las opciones de visibilidad.
3. Desarrollar los servicios adecuados a través de las pestañas concretas.
4. Configurar el botón de llamada a la acción.
5. Producir contenido para asegurar que la página ofrece suficiente.
6. Producir contenido suficiente para la actualización de la semana posterior.

Una vez hecho esto es ideal disponer de unas bases sobre las que se construya la conversación con el usuario. Lo ideal es desarrollar un documento cooperativo, en el que puedan participar activamente todos los participantes en la página de la marca.

Se podría denominar algo así como "Hoja de estilo de utilización de Facebook".

Algunos de los puntos más importantes tienen que ver con:

✓ Mostrar respeto. Tratar al usuario como nos gustaría que nos trataran a nosotros.
✓ Mostrar responsabilidad. Pensar antes de decir algo inadecuado.
✓ Mostrar integridad. Actuar de manera sincera y transparente.
✓ Mostrar ética. Cumplir con nuestro bajo unas normas morales.
✓ Mostrar conocimiento. Di algo que pueda interesar al usuario.

Cómo crear contenido con un enfoque diferenciador

Debemos tener en cuenta que una pieza de contenido en un muro de Facebook debe transmitir la creatividad, constancia, interacción, compromiso y perseverancia de la marca con la información. Que una estrategia de contenido tenga éxito o no depende en gran medida del enfoque, la creatividad y el estilo utilizado en la producción de la pieza. Es un tema demasiado importante como para olvidarlo.

Figura 9.7. Que una estrategia de contenido tenga éxito o no depende en gran medida del enfoque, la creatividad y el estilo.

Considerando la importancia del enfoque y el estilo, ya sea gráfico o de redacción, llegaremos a la conclusión de que ofrecer actualizaciones interesantes hace que los seguidores las otorguen más importancia y las conviertan en piezas virales. Esto, básicamente, se convierte en aumento de usuarios, tráfico y visibilidad, la base ideal sobre la que se sustentan muchos de los objetivos de la estrategia de visibilidad en Facebook.

Truco

El fenómeno del momento son las listas, es el concepto denominado *listicle*. Generar contenido que incluya listas ordenadas es sinónimo de éxito. ¿La razón? Son fáciles de entender, muestran muchos conceptos de un modo rápido, son visuales, informan de un modo directo. Lo tienen todo. Algunos ejemplos: 10 lecciones sobre contenido y Facebooks, 5 tipos de peinado que vuelven locos a los hombres, 7 hombres que están mejor que Cristiano Ronaldo, 13 modos de que una rubia te ame para siempre.

Figura 9.8. Generar contenido que incluya listas ordenadas es sinónimo de éxito.

Del mismo modo que una noticia en un periódico tradicional atrae más o menos la atención por su titular, por ejemplo, una pieza de contenido puede convertirse en relevante en Facebook gracias a un buen concepto de redacción, a un *copy* creativo y acertado.

A continuación se indican algunas fórmulas tácticas que ya han sido probadas por miles de marcas y profesionales y que aseguran cierto éxito a la hora de producir contenido diferenciador:

1. Es necesaria una publicación constante, para llegar a la mente del usuario.

2. El texto por sí sólo no engancha con el usuario. El vídeo, el GIF animado, la infografía y las apps son siempre más atractivas y virales.

3. Las actualizaciones de texto entre 150 y 200 caracteres, menos de 3 líneas, por ejemplo, reciben un 60% más de "Me gusta" en Facebook que las que sobrepasan esa cifra.

4. Una fórmula que funciona bien es tratar de enfocar el contenido con carácter de exclusividad, que resulte especial sólo para aquellos usuarios que sean seguidores, suscriptores, usuarios registrados, etc. Pueden ser, por ejemplo, trucos, promociones, descuentos, etc.

5. Los contenidos oportunos y de moda suelen ser sinónimo de éxito. El usuario de Facebook se comporta especialmente activo ante temas y eventos de actualidad.

6. La solución a un "por qué" es una de las fórmulas de contenido que más se demanda en Internet. Ofrecer razones convincentes siempre genera interés por parte del usuario.

7. La producción de contenido descargable es siempre sinónimo de éxito. Facilitar al usuario la descarga de un libro, documento, *app*, juego, vídeo o cualquier otro tipo de formato genera buenas sensaciones en el usuario.

Cuáles pueden ser las temáticas más adecuadas e interesantes

Llegados a este punto estamos ante el reto más importante a la hora de encauzar la comunicación a través de la página de marca, las temáticas que se van a ofrecer en las actualizaciones. Es el momento de aceptar que sólo si somos originales y aportamos contenido de valor a los usuarios, estos lo apreciarán e incluso lo compartirán.

Hay que tener en cuenta que el entorno de Facebook está cargado de páginas de marcas pequeñas, casi anónimas, que están haciendo cosas espectaculares gracias a la buena utilización de la plataforma y, fundamentalmente, porque han conseguido cautivar a la audiencia a través del contenido que ofrecen y a su creatividad.

EJEMPLO. Imaginemos que trabajamos en una página en Facebook para conseguir aumentar la visibilidad de una pequeña tienda que se dedica a la venta de zapatillas de deporte. ¿Qué puedo ofrecer yo a mi público objetivo? De un modo muy básico, simplemente como ejemplo, y sin intentar alcanzar un objetivo previo, la conversación y la información podría girar en torno a contenido de este tipo:

✓ Noticias muy verticales sobre determinados modelos de zapatillas y sus marcas.

✓ Información sobre productos novedosos (cordones de colores, *sneakers*, tecnologías asociadas a la competición, escaparates).

✓ Opiniones sobre personalización y características de zapatillas.

✓ Datos sobre nuevos lanzamientos de zapatillas y deportistas que las usan.

✓ Seguimiento de eventos y ferias sectoriales (exposiciones, congresos, novedades, charlas).

✓ Servicios con valor añadido (comentarios, opinión, soluciones de profesionales deportistas).

✓ Productos con un descuento muy especial (rebajas, *outlet*, cupones en fechas señaladas, productos de exposición).

✓ Vídeos sobre temas especializados (para corredores, para futbolistas, para moda urbana).

✓ Servicios de apoyo y soporte a la comunidad sectorial.

✓ Críticas y comparativas de productos (marcas, deportes, estética, usos, limitaciones).

✓ Contenidos de referencia (catálogos, precios, novedades).

✓ Bolsa de zapatillas seminuevas o de segunda mano.

Actualiza con algunos trucos para que la pieza destaque

Queramos o no es un factor determinante. El éxito de las piezas de comunicación de una página de Facebook depende en gran manera de la orientación, del enfoque, de la personalidad que la marca sea capaz de transmitir. Es importante diferenciarse, no sólo en el contenido sino también en el continente.

Si la marca es original y aporta contenido de valor al usuario, este lo apreciará, lo compartirá e incluso lo recomendará.

EJEMPLO. Se puede resumir un informe estadístico a través de un texto a modo de nota de prensa de varias páginas o bien intentar reseñar lo más importante a través de una infografía. No hay color, la segunda opción es mucho más accesible, visual, rápida y comprensible para el usuario. Y tiene muchas más posibilidades de ser compartida y recomendada.

Truco

La fórmula del éxito:

Contenido de valor + Contenido útil + Palabras clave adecuadas + Diseño

El objetivo, finalmente, debe ser ganar la lucha por la atención del usuario, porque la audiencia se encuentre a gusto con el estilo y la calidad de los contenidos. En plataformas como Facebook un titular atractivo o un *hashtag* adecuado son el principal gancho para que el usuario se interese por la pieza. Desde el punto de vista de la estrategia de contenido, redactar bien es tan importante como definir los temas claves.

Por ello puede ser interesante conocer algunos trucos que pueden hacer destacar los titulares de una actualización frente a otros perfiles de la misma temática. Si bien existen muchas técnicas para redactar actualizaciones atractivas, éstas son sólo algunas propuestas para ayudar a generar una pequeña guía de estilo.

Truco

Existen herramientas Web que crean titulares llamativos e impactantes automáticamente con introducir únicamente un término. Es el caso de plataformas como Portent Idea Generator (`Portent.com`) y My Copy Blogger (`MyCopyBlogger.com`). Pueden resultar de ayuda para la inspiración o cuando ya no quedan ideas.

EJEMPLO. Poniendo como base una tienda de zapatillas de deporte, estos son algunos conceptos creativos que podrían utilizarse para su utilización en las actualizaciones de Facebook:

✓ Vender, ofrecer un beneficio.

"Pon unas Air Max en tu vida y mejora tu aspecto *hipster* "

✓ Contradecir una verdad.

"¡Imposible encontrar botas de color rosa para jugar al fútbol!"

✓ Posicionar una postura.

"Las zapatillas con cámara de aire tienen los días contados"

✓ Numerar ideas y conceptos.

"17 trucos para que unas sneakers duren toda la vida"

✓ Publicitar con palabras clave.

"Somos unas Asics Cumulus: verdes, únicas, garantizadas y económicas"

✓ Opinar con un "yo" o "nosotros".

"Por qué no me compraría nunca unas zapatillas Adidas"

✓ Provocar, con cuidado.

"Hoy en día las zapatillas no son lo que eran"

✓ Preguntar para responder.

"¿Cuánto me debo gastar como máximo en unas zapatillas de *running*?

✓ ¡¡Molar!! Reír siempre ayuda.

"¡Increíble! Hemos encontrado unas zapatillas de calidad sin marca, ¡razón en portería!"

Que herramientas utilizar para publicar y gestionar piezas

Tras dar todos los pasos oportunos, diseñar con prudencia y sensatez el plan de contenidos y trabajar con lógica su estrategia, es el momento de dejar de lado las especulaciones y pasar a la acción. Ha llegado el momento de producir de trabajar de plano bajo las pautas establecidas. Parecía que nunca iba a llegar pero ya sí, la marca está preparada para comenzar a diseñar, grabar, retocar, escribir, publicar, compartir...

Por suerte, el sector de desarrollo de aplicaciones y herramientas ha comenzado a madurar y la utilización de los entornos sociales como plataformas para desarrollar el Marketing de Contenidos de las marcas ha generado que cada día aparezcan nuevas y mejores herramientas para la gestión de la información y su publicación. Además de la gestión individual de los documentos, imágenes, vídeos, etc. hay otro apartado donde el uso de herramientas adicionales es casi imprescindible, se trata de la gestión de las plataformas sociales.

Herramienta imprescindible

HOOTSUITE. Es un estándar de la publicación multiperfil para agencias y profesionales. Es un cliente ideal para la gestión de varias campañas y páginas en Facebook simultáneamente. Permite programar publicaciones de contenido, monitorizar, organizar la información, realizar seguimiento a través de analíticas y estadísticas, compartir sitios, acortar direcciones y gestionar menciones.

(Hootsuite.com) Opción gratuita.

Herramienta imprescindible

BUFFER. Es una aplicación que facilita, tanto la publicación simultánea en varias plataformas, como la programación de procesos asociados a los contenidos y gestión de perfiles y páginas de Facebook. Una de las características más interesante tiene que ver con la segmentación, ya que ofrece la posibilidad de, por ejemplo, publicar sólo en un grupo específico de Facebook. Incluye también opciones de gestión, estadísticas, acortado de direcciones y extensiones para navegadores.

(`BufferApp.com`) Opción gratuita.

La clave a la hora de elegir herramientas para llevar a cabo la gestión de contenidos y plataformas tiene que ver con seleccionar aplicaciones de productividad versátiles, multiplataforma y que permita trabajar en la nube, es decir disponiendo que documentos, archivos, calendarios y operativas se encuentren en un sitio online, de modo que se puedan utilizar en cualquier dispositivo con conexión a Internet, en cualquier momento y en cualquier lugar. Debe ser lo más parecido a disponer de un gestor de publicaciones, un procesador de textos, una hoja de cálculo y una base de datos, con sus correspondientes archivos, en Internet, del mismo modo que en el disco duro de un ordenador.

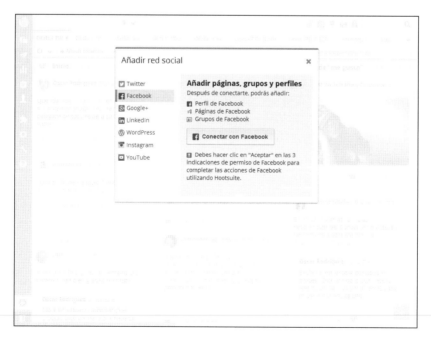

Figura 9.9. Hootsuite es una herramienta estándar que miles de profesionales utilizan para gestionar sus marcas en Facebook.

Hoy además ya es habitual realizar procesos automatizados que hasta hace algún tiempo podían parecer ciencia ficción y cada día aparecen decenas de nuevas aplicaciones para ayudar a cumplir tareas o para fortalecer las ya existentes. Pues bien, es necesario conocer todas las posibilidades y sumar a la estrategia de visibilidad en Facebook la obligación de disponer de herramientas potentes, versátiles y actualizadas. De ello va a depender el trabajo diario, éxito de las acciones y la utilización adecuada de los recursos disponibles.

Sin duda una de las bases sobre las que se establece una operativa profesional es la de disponer de las aplicaciones y herramientas más adecuadas para gestionar las piezas de contenido, los numerosos perfiles, las innumerables páginas, el calendario editorial, los comentarios... Es tan relevante que posiblemente el porcentaje de éxito que podamos alcanzar en la producción de una estrategia de contenido va a venir dado por la capacidad que tenga la marca de elegir las herramientas adecuadas para cada actuación y el buen uso que se haga de ellas. Es así de sencillo y de complicado a la vez.

Herramienta imprescindible

BITLY. Es el servicio de acortado de direcciones más utilizado entre los profesionales de Facebook. Codifica y hace más pequeñas las URL de un modo sencillo y versátil. También dispone de una potente opción de analítica, ofrece la posibilidad de personalizar la dirección de los acortados, *trackear* un dominio e incluso extensiones especiales para los navegadores más conocidos.

(Bit.ly) Gratuita.

La estrategia de contenidos de una página en Facebook conlleva la gestión y producción de contenidos para distintos tipos de usuario y distintas segmentaciones. Teniendo en cuenta esto se hace imprescindible, completamente imprescindible, el uso de una aplicación, o varias, que sea capaz de gestionar cuentas, perfiles, datos, actualizaciones, estadísticas, seguidores, respuestas, etc.

A continuación he realizado una selección básica, pero muy potente, que podría ser la base sobre la que trabajar a la hora de crear, producir y publicar contenido en Facebook. Es un conjunto de aplicaciones que ofrece todo lo necesario, y más, para comenzar a trabajar en una estrategia basada en los contenidos.

Tabla 9.1. Herramientas de gestión de contenidos en Facebook.

PLATAFORMA	NOMBRE	SITIO	DESCRIPCIÓN	PRECIO
Multiplata-forma	HootSuite	(HootSuite. com)	Gestión de contenidos	Opción gratuita
Multiplata-forma	SproutSocial	(SproutSocial. com)	Gestión de contenidos	$60
Multiplata-forma	Buffer	(BufferApp. com)	Gestión de contenidos	Opción gratuita
Web	Canva	(Canva.com)	Producción gráfica	Opción gratuita
Web	Pixlr	(Pixlr.com)	Producción fotográfica	Gratuita
Web	BannerFans	(BannerFans. com)	Producción publicidad	Gratuita
Web	BitLy	(Bitly.com)	Acortador de enlaces	Gratuita
Web	IfTTT	(IfTTT.com)	Automatización	Gratuita
Web	Google Calendar	(Google.com/ Calendar)	Agenda online	Gratuita

Facilitar la visibilidad del contenido

Cómo aprovechar "EdgeRank" para hacer más visible el contenido

Desde hace algún tiempo, yo diría varios años, el *PageRank* centraliza todo lo que tiene que ver con los índices de visitas a páginas Web. El ranking de Google vuelve locos a unos y a otros, con el fin de que sus páginas y contenidos se posicionen bien y sean vistos por el mayor número de usuarios posibles.

Con la llegada de las plataformas sociales y, fundamentalmente, con la estandarización de Facebook como plataforma social de masas, estaba siendo necesaria la instauración de un ranking que permitiera medir el valor del contenido publicado por las páginas de marca.

Importante

Como ya ha se ha recalcado durante las anteriores fases, el hecho de conseguir una visibilidad adecuada en Internet y en medios sociales es básicamente una cuestión de metas, objetivos y enfoque.

Pues bien, eso fue durante algún tiempo lo que se denominó *EdgeRank*, un algoritmo por el que Facebook establecía una valoración y que se encargaba de que las piezas publicadas de una página apareciesen o no en la pantalla de los usuarios. De algún modo el sistema se encargaba de optimizar las noticias que recibían los usuarios decidiendo qué publicaciones se mostraban, si debían ser o no consideradas importantes y en qué orden deberían aparecer.

Figura 10.1. Facebook otorga mayor peso a los contenidos con más interacciones, considerando comentarios, "Me gusta", clics y comparticiones.

De una manera muy básica el algoritmo se basa ahora en cinco factores fundamentales:

1. **Afinidad.** Es el modo en el que Facebook asigna un valor a la página productora del contenido en relación con las demás páginas. La afinidad se medirá dependiendo de la interacción del usuario con los contenidos. A mayor afinidad, mayor posibilidad de que la información se muestre en el muro del usuario que ha interactuado con el contenido.

2. **Relevancia.** La plataforma otorga mayor peso a los contenidos con más interacciones, considerando el número de comentarios, número de "Me gusta", número de clics y número de veces que se ha compartido la publicación. Compartir tiene un peso alto, un comentario tiene un peso medio-alto, un "Me Gusta" tiene un peso medio y un clic un peso bajo.

3. **Actualidad.** Facebook concede más importancia a las publicaciones y contenidos de actualidad. La plataforma fomenta la información de última hora, reciente.

4. **Diversidad.** Ahora la plataforma social tiene muy en cuenta la riqueza de formatos de las actualizaciones y el tiempo estancia del usuario en la consulta del contenido. Facebook analiza la página compartida y premia especialmente la publicación de vídeos. También el resto de contenido multimedia.

5. **Calidad.** Es clave la calidad de la pieza. La base del algoritmo de *EdgeRank* se estructura en torno al compromiso del usuario y a la actividad, y no tanto a los clics. Facebook premia no solo los contenidos extensos y de calidad sino también las piezas con elementos interactivos que logren conectar con el usuario.

Debido al *EdgeRank*, es posible que una mala estrategia de publicación de contenidos en una página resulte perjudicial, ya que las actualizaciones no llegarán al usuario y se perderá mucha visibilidad.

Figura 10.2. Una mala estrategia de publicación de contenidos en una página resulta perjudicial.

A continuación se indican 10 consejos básicos para que el contenido sea mejor valorado por Facebook y que, por tanto, se haga visible a un mayor número de usuarios:

1. Publicar pensando en los intereses del usuario.
2. Publicar contenidos multimedia, que contengan enlaces, GIFs, fotografías, infografías y vídeos.
3. Publicar contenido original y exclusivo.
4. Publicar actualizaciones tan extensas como sea necesario.
5. Publicar de manera constante pero con la frecuencia adecuada.
6. Publicar en el mejor momento del día.
7. Publicar contenido personalizado y creativo.
8. Publicar preguntas.
9. Publicar contenidos que fomenten la participación del usuario.
10. Publicar contestaciones y comentarios en respuesta a los usuarios.

Qué normas son de obligado cumplimiento para lograr visibilidad

El auge del Marketing de Contenidos como estrategia de visibilidad de la marca en Facebook ha provocado a su vez otro auge: la pieza de contenido basura. Esto no es ni más ni menos que la tendencia de publicar información, por necesidad, sin un objetivo claro y, lo que es peor, con una alarmante ausencia de valor. Ositos, gatitos y bebés son los principales actores. Felicitar el viernes o quejarse de los lunes son las bases del guión. Como resultado, una mala película que tenemos que ver una y otra vez.

Importante

Se obtiene visibilidad a través de la publicación de contenidos adecuados al usuario, con sentido común, que en ocasiones parece el menos común de los sentidos.

Figura 10.3. Es clave cuidar hasta en el último detalle de todo, absolutamente todo lo que se publica en Internet.

El éxito del contenido va a depender de la estructura de la pieza, del modo en que se transmite el mensaje, de la capacidad de sorprender, de la calidad de la información y, fundamentalmente, de cómo va a ser percibido por el usuario. Por eso es clave cuidar hasta en el último detalle de todo, absolutamente todo lo que se publica en Internet.

A continuación se indican algunas normas de cómo una marca debe producir piezas, asociadas a la marca, para alcanzar los objetivos de visibilidad:

- ✓ Aplicar, sí o sí, la estrategia establecida en el Plan de Contenidos.
- ✓ Ajustar la pieza a la arquitectura de la plataforma.
- ✓ Dar un paso más en la mera información corporativa.
- ✓ Facilitar la lectura, visualización y comprensión lo máximo posible.
- ✓ Producir piezas sencillas, claras y muy concisas.
- ✓ Admitir que una vez publicado ya no hay marcha atrás.
- ✓ Producir pensando en la posible viralidad de las piezas.
- ✓ Utilizar una ortografía correcta.
- ✓ Considerar hacer pausas entre publicación y publicación.
- ✓ Conversar para comenzar a cumplir los objetivos.
- ✓ Mantener la conversación sin pausas temporales.

Una vez que se ha indicado cómo se debe publicar, también puede ser oportuno aclarar algunas prácticas que no son adecuadas. Estos son algunos de los errores más importantes que cometen día tras día marcas y profesionales en sus actualizaciones de Facebook:

- ✓ Publicar unidireccionalmente, no conversar.
- ✓ Publicar contenidos de mal gusto.
- ✓ Publicar de un modo muy impersonal.
- ✓ Publicar sin una calidad mínima de la pieza.
- ✓ Publicar demasiado autobombo.
- ✓ Publicar tanto que llegue a saturar al usuario.
- ✓ Publicar sin sentido, por el simple hecho de actualizar.

✓ Publicar datos privados.

✓ Publicar con un lenguaje no adecuado.

Qué hacer para lograr la relevancia de la marca a través del contenido

A lo largo de la definición de la estrategia de visibilidad en Facebook, la marca debe haber sido capaz de realizar tantos *brainstormings* como sea necesario para conseguir determinar qué es eso que la hace única, qué es eso que la marca puede ofrecer antes que los demás, cuál es la fórmula creativa de comunicar que va a enganchar al público objetivo. En definitiva, el contenido con valor diferencial.

Figura 10.4. Un buen servicio es el mejor de los contenidos de marca.

Si no ha sido así conviene replantear la situación y responder a algunas preguntas que permitan enfocar las piezas de contenido, aún más si cabe, a los datos previos obtenidos en la investigación sobre el usuario centro de la estrategia. Es el momento de reforzar al máximo los vínculos entre el contenido y su receptor.

¿Cuáles son esos datos tan relevantes? Posiblemente aquellos que intentaríamos extraer si tuviéramos la capacidad de acceder al cerebro de cada uno de los posibles seguidores, fans o clientes de la marca. Estos son algunos de ellos:

- ✓ Si es sólo un fan o un cliente potencial.
- ✓ La razón por la que decide consumir un determinado producto o servicio.
- ✓ Las razones sobre sus gustos por un producto o servicio de una marca.
- ✓ La forma en que actúa ante cambios en sus marcas preferidas.
- ✓ El modo de convencerle para atraerle aún más hacia la marca.

El tipo de contenido que se planifique es clave fundamental para lograr la relevancia de la marca y que su estrategia de contenidos sea visible y exitosa. Desde luego no es una afirmación que sorprenda a nadie: en Facebook el contenido es el único mensaje de la marca, es la única arma para despertar interés y, junto con la página, es el único vehículo para lograr su relevancia.

Promocionar para ser visible y crecer

Cuáles son las ventajas de la estrategia de promoción

Hoy, gracias fundamentalmente a las redes sociales y a la estandarización de plataformas como Facebook, se intercambian, se comentan y se transmiten experiencias desde cualquier sitio, a cualquier hora y de cualquier manera. Son muchos cientos de millones de personas, los que a través de sus perfiles utilizan la plataforma social cada día para hacer esto decenas de veces.

Pues bien, el propósito de la promoción no es ni más ni menos que eso, estar donde está toda esta nueva actividad. La promoción es el modo por el que conseguiremos más fácilmente crear una comunidad alrededor de nuestra marca y participar en la conversación con el mayor protagonismo posible.

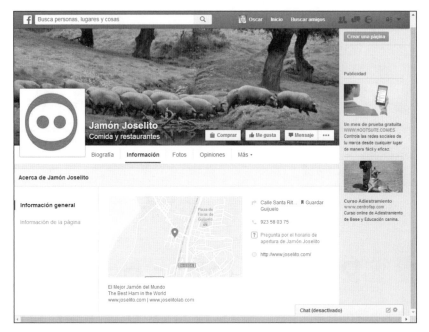

Figura 11.1. Es el momento de dar un paso más, de potenciar la marca a través de la promoción. Para ello el contenido es la base.

Curiosidad

Según el estudio anual que IAB Spain, la asociación de publicidad, marketing y comunicación digital en España, presentó en 2016 el 84% de los usuarios de Internet declaró seguir alguna marca en redes sociales principalmente para estar informado de ellas y para poder participar en concursos y promociones. Facebook era la plataforma favorita para para seguir a marcas (81%).

De acuerdo, ya tenemos una página de marca, e incluso una estrategia de producción de contenidos para facilitar la visibilidad. El proyecto comienza a despegar por lo que es el momento de dar un paso más, de potenciar la marca a través de la promoción. Es el momento de hacer más visible a la marca, de perseguir la viralidad, de ser más sociales, de adaptar las piezas para conectar con el usuario. ¿La marca hace algo mejor que el resto? Pues debe posicionarlo y promocionarlo.

Figura 11.2. De algún modo, promocionar una marca en Facebook es hacer todo lo adecuado para que el usuario sepa que existe.

De algún modo, promocionar una marca en Facebook es hacer todo lo adecuado para que el usuario sepa que existe, que está ahí y desee formar parte de su comunidad.

Básicamente una estrategia adecuada de promoción de una marca en Facebook ayuda a:

✓ Hacer crecer la visibilidad.

✓ Hacer crecer la imagen de marca.

✓ Hacer crecer el compromiso del usuario para con la marca.

✓ Hacer crecer los beneficios económicos.

Cómo dirigir la promoción hacia la conversación

Por mucho que resulte complicado que la estrategia de visibilidad de una marca se adapte a este hecho, Facebook no se debe utilizar nunca como un canal de promoción y venta bajo el concepto tradicional. Existen normas no escritas, establecidas a golpe de experiencia, que indican que los usuarios de la plataforma no aceptan las acciones de promoción clásica a no ser que conlleven unas determinadas claves sociales. Estas son las cinco más importantes:

Figura 11.3. Una página en Facebook es el vehículo para conseguir la recomendación, y llegar a la venta (a lo mejor).

- ✓ **No, realizar actividades directas de venta o promoción.** Es un gran error. Si se consigue la atención del usuario pero no se es útil, no se aporta y no se ayuda, el posible cliente pierde la confianza en la marcar.
- ✓ **Sí, aprovechar las relaciones y recomendaciones.** El usuario no conecta con una marca para que le vendan, lo hace para informarse, solucionar un problema o divertirse. En resumen, lo hace para relacionarse. Por tanto, la mejor opción es crear una relación sincera, obtener una buena reputación y generar confianza. Este es el vehículo para conseguir la recomendación, y llegar a la venta (a lo mejor).

✓ **Sí, conversar con un contenido y lenguaje adecuado.** Es el modo de personalizar la atención. Enviar mensajes diferentes en función del tipo de cliente y de comunidad. Es decir, cada grupo o edad tiene su propio lenguaje. Un lenguaje que es importante conocer y dominar para poder establecer una interacción directa que atrape al usuario sin que lo parezca.

✓ **Sí, socializar y construir comunidad.** La mejora de la reputación viene a través de construir una red de usuarios, clientes, seguidores, amigos y fans que confíen en la marca. Para ello es necesario conversar, participar en los grupos y páginas propias y en las de los demás. Esto facilita la socialización y la creación de vínculos profesionales muy especiales.

✓ **No, actuar con prisa.** La promoción social en Facebook es, si cabe, mucho más lenta y trabajosa que la convencional. No se crea comunidad en un par de meses, tampoco se genera confianza de un día para otro. Nada muy diferente a la vida real.

Cuáles son las claves para un posicionamiento adecuado

A pesar de que parecemos acostumbrados las estrategias de marketing digital y de promoción en redes sociales están inevitablemente expuestas a variaciones diarias. Si habitualmente se dice que el mundo del marketing ha cambiado más en los últimos 5 años que en los 100 anteriores, lo que ocurre a diario con plataformas es auténticamente arrollador.

Importante

Por tanto, la marca en Facebook está expuesta a las decisiones de la compañía. Para muestra un botón. El último cambio de algoritmo de Facebook, de mediados de 2016, y las decisiones de la compañía en cuanto al posicionamiento de las publicaciones de las páginas de marca en el muro de los usuarios penalizaba a aquellas que publicaban gran cantidad de contenido y que lo hacían además con piezas de baja calidad. Una estrategia básica que resultaba ser un filón para posicionarse de forma reiterativa. Las marcas que publicaban actualizaciones con titulares con potencialmente virales y que no las desarrollaban de forma completa lograban igualmente buenos resultados, gracias a titulares que provocaban el clic y a un algoritmo que premiaba estas visitas haciendo que muchos usuarios consultaran esos contenidos. Eso cambió de un día para otro con una decisión de Facebook y con ello el posicionamiento y el éxito de visibilidad de algunas marcas. De un día para otro.

Por tanto, conceptos como la interactividad, personalización, conversación, *engagement* deben dejar de ser desconocidos para la marca y convertirse en oportunidad a través de nuevos patrones de comportamiento, nuevos modelos de negocio, nuevas modos de crear comunidad, etc.

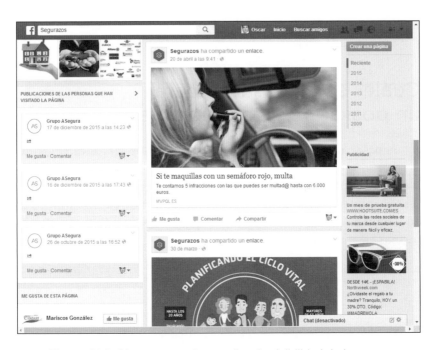

Figura 11.4. Ahora se puede penalizar la visibilidad de la marca que publica excesivo contenido y que lo hace además con piezas de baja calidad.

Por esto, sin duda, una promoción adecuada mejora el posicionamiento y la visibilidad de una empresa, logrando consolidar la marca, potenciando su imagen, fortaleciendo su diferenciación, acercándola más aún al usuario. Para ello algunas de las claves actuales:

- ✓ Posicionar la página de la marca en una **categoría propia**.
- ✓ Optimizar y configurar las propiedades y **características** de la página.
- ✓ Publicar **contenido** y piezas de calidad.
- ✓ Publicar imágenes, vídeos y animaciones enfocadas al **usuario** de la marca.
- ✓ Compartir el contenido **relevante** para el usuario de la marca.
- ✓ **Dinamizar** los contenidos y la conversación.
- ✓ Generar **debate** y discusión.
- ✓ Aprovechar al máximo la red de **contactos**.

Qué es mejor contenido o contenido y promoción

Gracias a la revolución de Internet y los medios sociales la marca dispone cada vez de más fórmulas y sistemas para cautivar al usuario. Ya lo dijo Leo Burnett (@LeoBurnett), "Yo soy de los que cree que uno de los mayores peligros de la publicidad no es el de engañar a la gente, sino el de aburrirla hasta la muerte".

De hecho basta con analizar al usuario a través de la plataforma de publicidad de Facebook y aprovechar los conocimientos individuales del usuario, para conseguir publicar un contenido adecuado y cercano, que permita estar cada vez más cerca de él y que no le moleste o aburra.

Entonces gracias a la opciones de promoción pagada y su segmentación ¿el contenido natural y orgánico de la marca ya no importa? ¿Basta entonces con utilizar una publicidad personalizada para conquistar al usuario? Afortunadamente, para aquellas marcas dispuestas a producir contenidos originales y que disponen de una política creativa de publicación, la respuesta es "rotundamente no".

Figura 11.5. El éxito llega a aquellas marcas dispuestas a producir contenidos originales y que disponen de una política creativa de publicación.

El contenido de calidad, importa y mucho. Incluso exagerando se podría decir que "es lo único que importa". Si está bien segmentado y consigue enganchar a la audiencia, una propuesta interesante de contenido es de una trascendencia crucial para el éxito de una marca en Facebook, un valor para el usuario que en la gran mayoría de las ocasiones nunca se alcanza con los contenidos patrocinados y la publicidad digital.

Curiosidad

La promoción a la antigua usanza no funciona. El Marketing de Contenidos no consiste en publicar "publirreportaje" tras "publirreportaje". Eso otra cosa, eso es contenido de marca o *brand content*. Hasta ahora, esa es una estrategia que no ha funcionado, por lo tanto menos va a funcionar en el futuro. La promoción por la simple promoción se llama de otro modo, publicidad.

Figura 11.6. La promoción a la antigua usanza no funciona.
El Marketing de Contenidos no consiste en publicar "publirreportaje"
tras "publirreportaje".

De todos modos las tecnologías de segmentación publicitaria basadas en algoritmos como Facebook Ads están en constante evolución, esto es un hecho. Además su importancia va a seguir siendo vital a corto-medio plazo, eso es indudable. Sin embargo, todos los expertos coinciden en afirmar que la publicidad segmentada y una política de contenidos adecuada no entran y no deberían entrar en conflicto, de hecho la marca debe compatibilizarlas siempre que sea posible y que los recursos lo permitan.

Es más, el éxito total de una acción promocionada llega cuando la tecnología publicitaria de la plataforma conecta directamente con la propuesta de contenido, con las piezas creativas de comunicación, conversación e incluso conversión. Sin duda, una amistad entre técnicas que si no se rompe, crea un vínculo con el usuario de incalculable valor y genera importantes beneficios a la marca.

Publicitar la página y sus contenidos

Cuáles son las ventajas de la promoción pagada a través de Facebook

Se ha debatido mucho sobre la efectividad de llevar a cabo publicidad y promoción pagada en redes sociales, aunque hay algo evidente: después de la caída de la inversión publicitaria en los medios tradicionales, la tendencia hacia la publicidad *online* ha aumentado, proliferando, sobre todo, en el sector de los medios sociales.

Algunas plataformas, fundamentalmente Facebook, siguen aumentando cada día en número de usuarios, lo que las ha convertido en los soportes digitales de pago con mayor proyección de audiencia para las marcas. Pero ¿hasta qué punto es efectivo este modo de promoción? ¿El usuario interactúa con la publicidad en Facebook? Como es lógico, las opiniones son variadas, aunque las analíticas mandan.

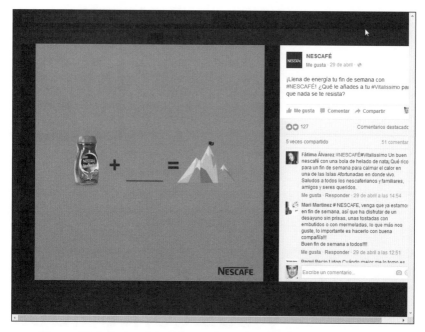

Figura 12.1. Se ha debatido mucho sobre la efectividad de llevar a cabo publicidad y promoción pagada en redes sociales, con respecto al contenido orgánico.

Truco

Muchos consideran que la promoción pagada en Facebook es efectiva, pero sólo para potenciar la presencia y visibilidad de la marca. Otros, que es una publicidad muy eficaz, siempre que se realice una campaña adecuada, es decir enfocada y optimizada con respecto al público objetivo.

Actualmente, con los datos en la mano, el mercado de la promoción pagada en Internet está dominado por Google. Sin embargo en los dos últimos años la tendencia en cuanto a la influencia del factor social está comenzando a ser tan importante que cada vez se está menos en la Web y mucho más en plataformas sociales. Y ahí tiene mucho que decir Facebook, en estos momentos tiene que decir... todo.

Las marcas están cada vez más interesadas en invertir sus presupuestos publicitarios en Facebook, fundamentalmente porque encuentran algo que en la publicidad tradicional es muy complicado, acceder a un público objetivo realmente segmentado que se encuentra un gran número de horas conectado con la plataforma.

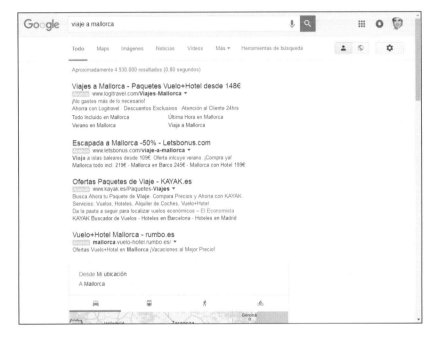

Figura 12.2. Actualmente, con los datos en la mano, el mercado de la promoción pagada en Internet está dominado por Google.

Facebook está demostrando ofrecer también grandes ventajas con respecto a otros medios y otras plataformas, es más fácil para una marca administrar sus propias campañas y la viralidad de los contenidos y ofrecer todo tipo de posibilidades. Además hay un buen control sobre el impacto de las campañas, se puede medir y ajustar con la herramienta propia de analítica, Facebook Insights.

Además Facebook ofrece a la marca la posibilidad de adquirir espacios pagados, con una ventaja diferencial con respecto a otras herramientas publicitarias, las amplias opciones de segmentación. Disponer de innumerables datos personales, sobre intereses, gustos y actividades del usuario objetivo potencial, hace de Facebook Ads una plataforma publicitaria sin competencia.

Figura 12.3. Disponer de datos personales, sobre intereses, gustos y actividades del usuario objetivo potencial, hace de Facebook Ads una plataforma publicitaria sin competencia.

Por otro lado, en los medios tradicionales, llegar a un público muy específico resulta terriblemente caro, mientras que Facebook ofrece, a través de Facebook Ads, un proceso muy eficiente que permite una segmentación muy avanzada por pautas de consumo e intereses del usuario. Una marca puede basarse en campañas no solo por lo que el consumidor dice que les gusta, sino por aquellos intereses reales que tiene y que demuestra su historial de navegación más allá de Facebook. Si a esto sumamos el elevado número de usuarios de Facebook hace que la propuesta publicitaria de la plataforma social sea un punto más que interesante para la promoción pagada de una marca.

Cómo planificar una campaña de promoción adecuada

Podríamos definir una campaña publicitaria en Facebook como el conjunto de estrategias que tienen como objetivo fundamental dar a conocer una página, producto o servicio de la marca, empleando para ello los espacios que tienen a su disposición la plataforma.

Su diseño se basa en el intento de impactar en un grupo clave de objetivos y su vida temporal suele ser corta. Pero, ¿cómo se optimiza una campaña publicitaria correctamente?

A continuación se muestra un proceso secuencial que debe ayudar a planificar una acción de promoción pagada en Facebook:

1. **Meta.** Qué meta final desea alcanzar la marca tras el desembolso económico. De algún modo se trata de definir el propósito final de la campaña publicitaria.

   EJEMPLOS. Hacer visible un nuevo producto, atraer nuevos clientes, conseguir ventas.

2. **Objetivo.** Qué operativa concreta debe completarse para que se pueda alcanzar la meta de la campaña. Debe poderse analizar con una métrica cuantitativa adecuada.

   EJEMPLOS. Redirigir 1.000 visitas al sitio Web, conseguir que 2.000 usuarios completen un formulario con sus datos personales, obtener 4.000 descargas del folleto en PDF de un producto.

3. **Briefing.** Es un documento básico de trabajo. En él deben quedar reflejados por escrito todos aquellos elementos que ya incluye el plan de marketing digital de la marca y que se consideran necesarios para llevar a cabo la campaña con éxito.

   EJEMPLOS. Descripción amplia del usuario objetivo, características del producto o servicio, mercado al que va dirigido, competencia y presupuesto detallado.

4. **Mensaje.** Qué beneficios posee el producto o servicio de la marca. Debe quedar claro, ya que va directo al público.

5. **Acción.** Cuál de las opciones, incluida en el Administrador de anuncios de Facebook Ads, es la que mejor puede ayudar a alcanzar el objetivo propuesto anteriormente. Una que finalmente resulte rentable y eficaz. De alguna manera es el modo de elegir el medio más adecuado para la transmisión del mensaje. Por otro lado, según qué medio sea el seleccionado, será necesario trabajar en las creatividades y en el mensaje para adecuarlos a ellos.

   EJEMPLOS. Llegar a personas que están cerca de tu negocio, aumentar los asistentes a un evento, generar clientes potenciales para tu empresa.

6. **Medición.** Cuál ha sido el resultado. Una vez puesta en marcha la campaña se obtendrán resultados de inmediato. Facebook Insights no tardará en recibir datos acerca de la aceptación que ha teniendo en el mercado. Dependiendo de estos resultados se podrán realizar todos los cambios necesarios para adaptar y optimizar la campaña.

En cualquier caso, del mismo modo que sucede en cualquier otra acción de marketing digital, la marca debe planificar a conciencia la campaña en Facebook. Los aspectos más importantes que debe tener en cuenta, en los que debe detenerse, es seleccionar adecuadamente el usuario objetivo, realizar el seguimiento de la inversión y valorar el posible retorno de la acción. También es importante analizar el tráfico, sus integrantes y su base, decantándose por los que tengan el tipo de público que desea atraer.

EJEMPLO. María Érika, madre muy familiar de Alcalá de Henares con 1 hijo y tres gatos, es una persona que no sale habitualmente a comer fuera a no ser a sitios muy cercanos a su casa. Por otro lado, "Empanadilla Gordita", es una marca con más de 15 años de experiencia en el sector de la restauración, que concretamente, dispone de un restaurante ubicado en Madrid. La compañía lanza una campaña en Facebook basada en un anuncio que muestra un vídeo muy divertido y viral que a María Érika le gusta. María Érika pasa más de 5 horas al día en Facebook y, por tanto, reproduce el vídeo. Ese vídeo lo muestra a su marido, lo viraliza a través de Whatsapp y lo comenta. María Érika ha recibido la campaña y ha consumido parte de la inversión publicitaria de la campaña, pero nunca va a acudir al restaurante.

Estupendo, pero acaba de consumir dinero de tu campaña, y jamás va a acudir a tu restaurante. Si la marca ha invertido 100 euros y no se ha indicado que el anuncio solo se muestre en Madrid, posiblemente será dinero tirado a la basura. Si la suerte existiera podría funcionar pero ¿es necesario dejarlo a la suerte?

Qué se puede publicitar y promocionar de la marca

Facebook Ads y su Administrador de Anuncios es un sistema de promoción pagada que se ha convertido en una de las herramientas publicitarias de pago más versátiles y utilizadas en Internet.

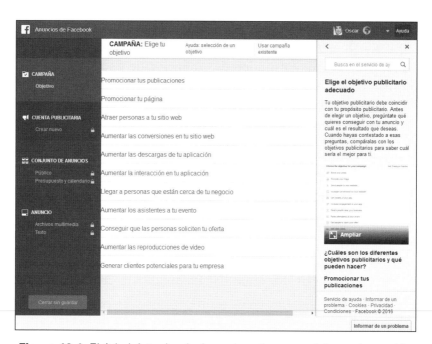

Figura 12.4. El Administrador de Anuncios ofrece un sistema de gestión publicitaria muy sencillo de utilizar.

¿Por qué? Fundamentalmente porque facilita a la marca el poder dar visibilidad a productos y servicios con opciones de segmentación muy avanzadas, presupuestos muy ajustados y con todo tipo de piezas de promoción.

Por si esto fuera poco, el sistema de contratación publicitaria en el que se basa Facebook Ads es cada vez más sencillo de utilizar, todos los procesos se realizan a través de asistentes y dispone de cientos de opciones para la personalización de las acciones de promoción.

Importante

Facebook, a través de su herramienta de analítica Insights, permite monitorizar el desarrollo de la campaña publicitaria y su grado de aceptación. De este modo es posible adaptar, corregir y optimizar las opciones sobre la marcha. El sueño de todo publicista.

Además ofrece infinitas posibilidades para facilitar la consecución de muchos de los objetivos habituales para una marca en una estrategia de visibilidad en Faceboook.

Gracias al Administrador de Anuncios de Facebook Ads es posible crear campañas de todo tipo, pero fundamentalmente incluye apartados específicos para:

✓ Promocionar **piezas de contenido** y publicaciones específicas de la marca.

✓ Atraer **usuarios a la página** en Facebook de la marca.

✓ Dirigir **tráfico cualificado** al sitio Web de la marca.

✓ Dirigir **tráfico a una Landing Page** o a una campaña de la marca.

✓ Facilitar la **conversión** de una página Web de la marca.

✓ Potenciar las **descargas** de una aplicación desarrollada por la marca.

✓ Aumentar la **interacción** en una aplicación de la marca.

✓ Dar a **conocer una marca** o negocio tradicional a usuarios que se encuentran cerca.

✓ Favorecer que aumente el número de **asistentes a un evento** de la marca.

✓ Hacer llegar al usuario **ofertas y descuentos** puntuales de la marca.

✓ Aumentar el número usuarios que visualizan un **vídeo de la marca.**

✓ Obtener **leads** para la marca de usuarios cualificados.

Truco

El *retargeting*, la técnica de marketing que se desarrolla con la implantación de un código de seguimiento obtenido de Facebook, permite a la marca un entorno en el que, por ejemplo, el usuario pueda finalizar un proceso determinado de compra que quedó anulado en algún momento por alguna razón.

Cómo conseguir más rendimiento con menos inversión

Cada día que pasa el desarrollar campañas publicitarias de cierto éxito en Facebook se convierte en una labor más exigente. La plataforma se ha convertido en un universo plagado de contenidos, promociones y ofertas y cada vez es más complicado destacar.

Además estamos ante un mercado de millones de pequeñas marcas, pequeños negocios y profesionales que pueden promocionarse y ser visibles con muy poca inversión. Cualquiera puede realizar hoy una campaña de Facebook Ads invirtiendo poco más de 5 euros.

Por esto desarrollar promociones pagadas de éxito sin una planificación previa, se convierte en una locura, y a la larga sale caro. Con la experiencia acumulada nos daremos cuenta de que hay varios modos de realizar una buena campaña no por mucho dinero.

Estas son algunas de las claves:

✓ Establecer unos **objetivos** publicitarios claros y medibles.

✓ Segmentar, **segmentar** y segmentar.

✓ Ser **creativo** y eficiente con las palabras clave.

✓ **Destacar** en algo.

✓ Promover la actuación a través de **Call to Actions**.

✓ Utilizar **imágenes**.

✓ Desarrollar contenidos adecuados y de **calidad**.

✓ Olvidar la tecnología y pensar en el **usuario**.

✓ Monitorizar, **medir** y analizar el rendimiento de la campaña.

✓ **Modificar** todo aquello que no esté dando resultados

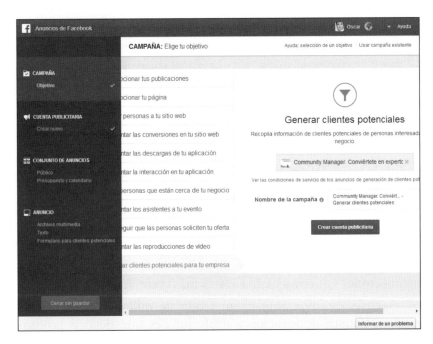

Figura 12.5. Desarrollar promociones pagadas de éxito sin una planificación previa, se convierte en una locura, y a la larga sale caro.

Si damos un paso más, podríamos intentar sacar algunas claves directas para conseguir que, además de adecuada, la campaña sea barata y efectiva. La experiencia dicta que:

✓ Configurar pago por CPM en caso de realizar campañas con el *branding* como objetivo.

✓ Configurar pago por CPC en caso de realizar campañas con la venta, el *lead* o la conversión como objetivo.

✓ Siempre que sea posible, dirigir las campañas a la páginas de marca, no a páginas externas, resulta un 20 por cien más económico.

✓ Realizar campañas cortas, la exposición repetida de la creatividad no favorece el clic.

✓ Modificar muy a menudo las versiones y la creatividad.

✓ Realizar un seguimiento exhaustivo del CRT *(Click Through Rate)*, porcentaje de clics. Facebook penaliza las campañas con menor CRT reduciendo sus impresiones.

Cuáles son los parámetros de segmentación más importantes

Las estrategias más habituales para alcanzar las metas de una campaña de visibilidad en Facebook, en la mayoría de las ocasiones, pasan por tratar de aumentar el número de "Me gusta", aumentar las exposición de la marca o proporcionar mayor visibilidad a un determinado producto o servicio.

Figura 12.6. Facebook Ads ofrece amplias posibilidades de segmentación.

Sin embargo, la de Facebook es un tipo de promoción y publicidad que puede aportar mucho más, es completamente configurable y optimizable. Se puede dirigir a sectores muy específicos de usuarios, ofrece posibilidades de pago muy avanzadas, dispone de todo tipo de formatos, etc.

Estos son algunos de los conceptos de configuración que permiten una optimización de la segmentación:

- ✓ **Lugares**. Permite seleccionar el país o países, y si se desea segmentar aún más el público objetivo, la ciudad o ciudades donde deben residir los usuarios a los que se quiere hacer llegar el anuncio.

- ✓ **Edad**. Por defecto, los anuncios en Facebook se dirigen a los usuarios con una edad mínima de 18 años que se encuentran en la ubicación por defecto. Sin embargo, es posible modificar los parámetros de segmentación como se desee.

- ✓ **Sexo**. Ofrece la posibilidad de definir si el anuncio debe ser visto preferiblemente por hombres o mujeres, o por ambos sexos. Si, por ejemplo, se decide seleccionar Hombres, el anuncio sólo se mostrará a los usuarios que han elegido rellenar esa información en su perfil. Si algún usuario ha preferido no rellenar esta sección de su perfil, no verá el anuncio. En el caso de que no se seleccione un sexo, el anuncio se mostrará a todos los usuarios, tanto a los que hayan rellenado esta opción, como a los que no lo hayan hecho.

- ✓ **Segmentación detallada**. Facebook basa las palabras clave en datos que los usuarios aportan en sus perfiles. Por ello, es muy aconsejable especificar y seleccionar los intereses de los usuarios objetivos que mejor se adapten a la campaña. Si los datos, intereses o comportamientos que se desea seleccionar como público objetivo no están disponibles, esto significa que no habrá suficientes usuarios. Las opciones de esta característica también permiten excluir usuarios, es decir, que no se muestre nunca el anuncio a determinado tipo de perfiles. Además la herramienta ofrece sugerencias y la posibilidad de explorar entre todas las opciones temáticas de intereses.

Figura 12.7. Es muy aconsejable especificar y seleccionar los intereses de los usuarios objetivos que mejor se adapten a la campaña.

✓ **Conexiones.** Este apartado dispone de opciones como Personas a las que le gusta tu página, Amigos de personas a las que les gusta tu página o también Excluir a las personas a las que les gusta tu página. De algún modo es una característica que, dependiendo del tipo de promoción elegida, segmenta a los usuarios por el tipo de vínculo que tienen con la marca en Facebook. Es una opción muy importante.

A qué usuario se puede llegar a través de la promoción pagada

Como ya se ha explicado a lo largo de los anteriores capítulos, Facebook se ha convertido en una herramienta indispensable y muy efectiva para las marcas a la hora de llegar hasta sus usuarios objetivos. Se ha hablado sobre distintas estrategias de visibilidad, sobre la Promoción del Contenido, sobre el Marketing de

Contenidos, en resumen, de todos los modos que tiene una una marca de hacerse visible en Facebook, pero siempre de un modo gratuito, a través del contenido, sin realizar ningún pago.

Pues bien, la plataforma social también dispone de una herramienta de promoción y publicidad, Facebook Ads, que asegura la visibilidad a través de campañas pagadas de exposición de anuncios. Una opción para que la marca tenga presencia en los perfiles de los usuarios objetivos que puedan estar interesados en el contenido sobre sus productos o servicios.

Figura 12.8. Es muy aconsejable especificar y seleccionar los intereses de los usuarios objetivos que mejor se adapten a la campaña.

Truco

Para realizar una campaña no es preciso dirigirla a una página de marca en Facebook. Esto permite, por ejemplo, aprovechar las opciones de segmentación de la plataforma para dirigir tráfico cualificado al sitio Web de la marca, a una Landing Page, potenciar las descargas de una aplicación desarrollada por la marca, dar a conocer un negocio tradicional a usuarios que se encuentran cerca, conseguir aumentar el número de asistentes a un evento, hacer llegar al usuario ofertas y descuentos puntuales de la marca, etc.

Gracias a Facebook Ads es posible hacer publicidad y promocionar contenido entre:

✓ Perfiles a los que les gusta la página de la marca.
✓ Perfiles a los que les gusta la página y a los amigos de ellos.
✓ Perfiles elegidos por medio de la herramienta de segmentación.
✓ Perfiles de un país, ciudad o pueblo.
✓ Perfiles situados a una distancia del sitio elegido.

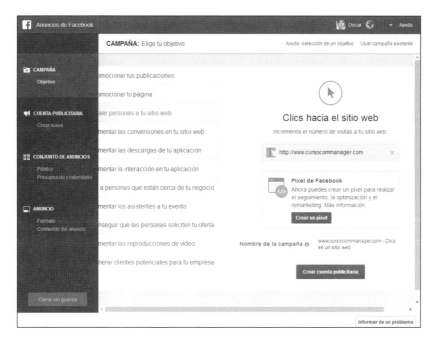

Figura 12.9. Se pueden aprovechar las opciones de segmentación de Facebook Ads para dirigir tráfico cualificado a un sitio Web de la marca o a una Landing Page.

Importante

Antes de plantear una campaña de publicidad en Facebook, por básica que sea, es imprescindible conocer al detalle las normas para su utilización, ya que de no cumplirlas, la compañía se reserva el derecho a no procesar el lanzamiento. Las piezas de promoción son siempre revisadas por la plataforma antes para su aprobación. Por esto conocer las normativas que impone Facebook, sobre todo, con respecto a la utilización de imágenes y fotografías es esencial y, por lo tanto, el primer paso que se debe dar antes de comenzar.

Por qué utilizar Facebook Ads en la promoción de la marca

Puede parecer una estupidez decirlo, pero publicitarse en Facebook es uno de los procesos más sencillos y rápidos que ofrece la plataforma. Lo que no es fácil es conseguir cumplir con ciertos objetivos en su utilización.

En la actualidad, por fin, la plataforma dispone ya de un sistema que facilita enormemente la labor de elegir el objetivo de la promoción pagada, el llamado Administrador de Anuncios. Esta herramienta, sencilla y ágil, facilita la elección y diferenciación de los formatos a través de las distintas funcionalidades. Ahora es mucho más sencillo tomar la decisión de cuál elegir y, en ocasiones, puede resultar incluso excesivamente básico.

Pues bien, estas son las opciones disponibles hasta el momento:

✓ Promocionar tus publicaciones.
✓ Promocionar tu página.
✓ Atraer personas a tu sitio Web.
✓ Aumentar las conversiones en tu sitio Web.
✓ Aumentar las descargas de tu aplicación.
✓ Aumentar la interacción en tu aplicación.
✓ Llegar a personas que están cerca de tu negocio.
✓ Aumentar los asistentes a tu evento.

✓ Conseguir que las personas soliciten tu oferta.

✓ Aumentar las reproducciones de vídeo.

✓ Generar clientes potenciales para tu empresa.

Además de esto, Facebook Ads ofrece algunas ventajas difíciles de rechazar que deben conocerse. El sistema publicitario de Facebook es:

✓ **Sencillo.** Para utilizar Facebook Ads no es preciso ser un experto, cualquier usuario puede comenzar una campaña sin grandes problemas. Es de fácil operativa para cualquier usuario acostumbrado a la plataforma. Se accede a través de un perfil y dispone de un Administrador de Anuncios que facilita enormemente el proceso.

✓ **Flexible.** Las descripciones de las piezas dejan muchas posibilidades para la creatividad. Además se permiten utilizar distintos tipos de imágenes y vídeos, lo que ofrece muchas posibilidades visuales.

✓ **Económico.** Facebook Ads ofrece posibilidades de promoción pagada a un precio muy bajo. Esto hace que sea una muy buena elección para marcas que, con presupuestos bajos, quieran una opción de visibilidad rentable. Otras opciones del mercado, como AdWords de Google, resultan mucho más caras y en resultan mucho menos flexibles.

✓ **Directo.** El sistema de Facebook Ads permite acceso a información muy personalizada sobre el usuario y ofrece la capacidad de determinar características más avanzadas sobre su perfil. Por eso es muy útil a la hora de seleccionar intereses y gustos para segmentar audiencias ya que Facebook dispone de información relevante del usuario desde el mismo momento que se registra.

✓ **Seguro.** El Administrador de Anuncios ofrece la posibilidad de tener un control total sobre la revisión de los formatos antes de su publicación. De un modo manual, un anuncio puede rechazarse y ser corregido al instante. Todo esto no hace más que facilitar el proceso y ofrecer a la marca la seguridad de que la pieza será la adecuada.

✓ **Trascendente.** Facebook es uno de los lugares con más cuota de tráfico de Internet (el segundo para ser exactos) y dispone de una audiencia extraordinaria, dos datos especialmente relevantes. Pero el dato más importante es que se trata de la plataforma donde el usuario pasa más tiempo conectado, el líder total de minutos en la plataforma. Estamos hablando de una cifra fundamental para comprender su importancia social, es decir, Facebook se ha convertido en parte del estilo de vida de muchos millones de usuarios. Si la marca utiliza Facebook Ads para promocionar su contenido, estará presente en el mayor mercado global y social, en la plataforma online donde más se conversa y, fundamentalmente, en el vehículo más importante de recomendación mundial.

✓ **Efectivo.** Las características de segmentación de Facebook ofrecen unos ratios de conversión mucho más altos que los de cualquier otra plataforma social. Facebook Ads permite dirigir las campañas a un público objetivo bastante cerrado, lo cual hace que se dirija de un modo más directo al potencial consumidor.

Qué coste tiene una campaña de Facebook Ads

Más allá de la eterna duda sobre el CPC y el CPM, que en Facebook tienen características diferentes a la publicidad en buscadores como Google, lo primero que debemos hacer al enfrentarnos a la publicidad en Facebook es preguntarnos, ¿qué posibilidades de pago tiene la marca para realizar una campaña en Facebook?

Facebook ofrece dos modos de pago para las campañas de publicidad:

✓ Por clic o al pulsar sobre la publicidad, sistema denominado CPC (Costo Por Clic).

✓ Por número de apariciones de la publicidad, sistema denominado CPM (Costo Por Mil impresiones).

Las marcas comienzan a apostar seriamente por Facebook en su promoción y, debido fundamentalmente a esto, todos los datos indican que el precio del CPC y el CPM de los anuncios aumenta drásticamente cada día.

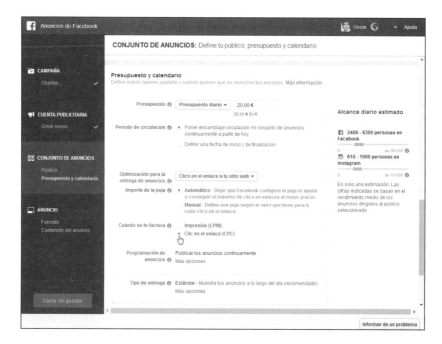

Figura 12.10. El anunciante nunca paga más del presupuesto fijado para la campaña ya que, tanto cada uno de los clics como su coste individual, se definen en la configuración previa.

De lo que no hay duda es que cuanto más aumente el uso de Facebook como plataforma publicitaria, y todo indica que lo hará, los precios seguirán variando y aumentando.

Cada una de las dos posibilidades tiene sus características y claves. Son las siguientes:

✓ **Coste por clic (CPC)**. El costo puede ser ínfimo, se puede realizar una campaña de publicidad desde 5 euros al día. Pero lógicamente, invirtiendo esa cifra, en ningún caso se conseguirán grandes objetivos. De este modo cada vez que un usuario haga clic en nuestra publicidad, deberemos pagar a Facebook. De algún modo es un sistema que remunera de acuerdo con el resultado. La marca anunciante fija un presupuesto diario o por campaña que hay que gastar, tan pronto como el número de clics llega al presupuesto fijado, la publicidad deja de aparecer en el perfil de los usuarios.

✓ **Coste por mil visualizaciones (CPM)**. En este caso, el anunciante no paga la publicidad cuando se pulsa o se hace clic sobre ella, lo hará siempre que aparezca en el perfil de un usuario. Sin embargo es un sistema en el que el anunciante debe pagar un mínimo de 1.000 visualizaciones.

Curiosidad

Hay que apuntar que el anunciante nunca paga más del presupuesto fijado para la campaña ya que, tanto cada uno de los clics como su coste individual, se definen en la configuración previa desde el Administrador de Anuncios de Facebook.

Cómo promocionar una publicación o pieza de la página

A través del Administrador de Anuncios de Facebook también es posible promocionar una pieza específica de contenido publicado, o a publicar, en la página de la marca. Utilizando la segmentación, la marca puede dirigir el anuncio a usuarios en función del lugar donde se encuentren, sus intereses, su edad y su sexo.

Truco

Para poder aprovechar las opciones de configuración de segmentación más avanzadas es necesario acceder al Administrador de Anuncios de Facebook.

Gracias a esta opción se posibilita que la pieza pueda tener visibilidad asegurada entre:

✓ Perfiles a los que les gusta la página de la marca.

✓ Perfiles a los que les gusta la página y a los amigos de ellos.

✓ Perfiles elegidos por medio de la herramienta de segmentación.

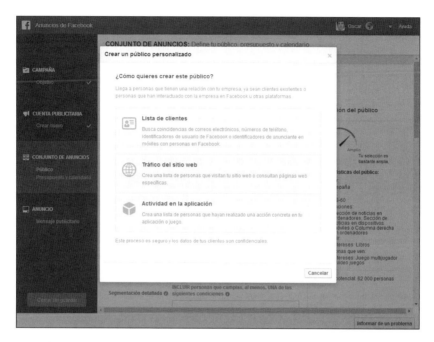

Figura 12.11. Utilizando la segmentación, la marca puede dirigir el anuncio a usuarios en función de su relación con ellos.

Es posible acceder a esta posibilidad pulsando sobre el botón Promocionar publicación que aparece en la parte inferior de cada pieza de contenido del administrador de la página. También se puede realizar desde el Administrador de Anuncios, seleccionando la primera opción, denominada Promocionar tus publicaciones.

Es posible hacerlo del siguiente modo:

1. Acceder al Administrador de anuncios, eligiendo la opción Crear anuncios del menú superior izquierdo de la página (flecha abajo) o teclear (Facebook.com/ads/manager).

2. Seleccionar la opción Promocionar tus publicaciones.

3. A continuación, seleccionar la página de marca que contiene la pieza de contenido a promocionar.

4. En el menú que aparecerá, elegir la publicación a anunciar, pulsando sobre su nombre.

5. En la casilla inferior indicar un nombre específico para la campaña actual.

6. Pulsar sobre Crear cuenta publicitaria e indicar los datos y el nombre a asignar en la siguiente pantalla.

7. Pulsar sobre el botón Configurar público y presupuesto.

8. Aparecerán las opciones que permiten la segmentación del usuario objetivo, en la opción Público nuevo. En este apartado será necesario indicar, entre otros, lugares, edad, sexo e idiomas del público objetivo.

9. En los apartados Segmentación detallada y Conexiones se deben indicar datos más específicos sobre intereses, aficiones y actividades preferidas del público objetivo.

Importante

Durante todo el proceso de configuración y personalización del anuncio se podrá visualizar, en la zona derecha de la pantalla, un resumen de las opciones elegidas, además de las estimaciones de las métricas de Alcance potencial y Alcance diario estimado. Siempre basándose en el rendimiento medio de los anuncios dirigidos al público elegido anteriormente.

10. Para indicar el presupuesto diario y del conjunto de anuncios, pulsar sobre la opción Presupuesto y calendario del menú situado a la izquierda, bajo el menú Conjunto de anuncios, o desplazarse hasta la parte inferior de la pantalla.

11. Pulsando sobre el enlace Mostrar opciones avanzadas se podrá acceder a características más especiales para la optimización del anuncio, como el importe de la puja, el tipo de facturación, la programación de los anuncios, etc.

12. Una vez realizada una configuración adecuada y optimizada, pulsar sobre el botón Elegir contenido del anuncio.

13. Ya en el apartado Mensaje publicitario será posible modificar las opciones sobre la plataformas y secciones en las que publicar el anuncio, así como obtener una vista previa del formato final en la zona la derecha.

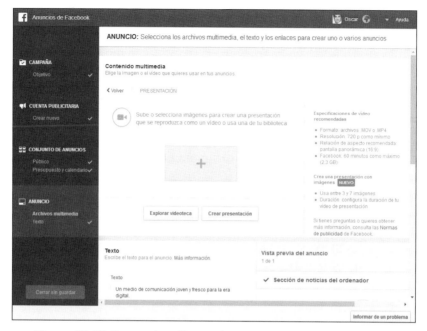

Figura 12.12. Se puede utilizar todo tipo de contenido multimedia para desarrollar el anuncio.

14. Para finalizar, y publicar el anuncio, basta con pulsar sobre el botón Realizar pedido y posteriormente seleccionar el método de pago adecuado.

Cómo promocionar la página en Facebook de la marca

Una de las principales labores del Administrador de Anuncios de Facebook es posibilitar la promoción específica de la página de la marca en busca de aumentar la audiencia obteniendo los tan ansiados "Me gusta".

Truco

Para la promoción de la página también se puede utilizar un vídeo de presentación, un formato muy adecuado para mostrar todos los puntos fuertes del contenido de la marca.

Gracias a esta opción se posibilita que la página pueda tener visibilidad asegurada entre:

✓ Perfiles a los que les gusta la página de la marca.

✓ Perfiles a los que les gusta la página y a los amigos de ellos.

✓ Perfiles elegidos por medio de la herramienta de segmentación.

El proceso para crear una campaña de promoción de la página es el siguiente:

1. Acceder al Administrador de anuncios, eligiendo la opción Crear anuncios del menú superior izquierdo de la página (flecha abajo) o teclear (`Facebook.com/ads/manager`).

2. Seleccionar la opción Promocionar tu página.

3. A continuación, seleccionar la página de marca que se desea promocionar.

4. En la casilla inferior indicar un nombre específico para la campaña actual.

5. Pulsar sobre Crear cuenta publicitaria e indicar los datos y el nombre a asignar en la siguiente pantalla.

6. Pulsar sobre el botón Configurar público y presupuesto.

7. Aparecerán las opciones que permiten la segmentación del usuario objetivo, en la opción Público nuevo. En este apartado será necesario indicar, entre otros, lugares, edad, sexo e idiomas del público objetivo.

8. En los apartados Segmentación detallada y Conexiones se deben indicar datos más específicos sobre intereses, aficiones y actividades preferidas del público objetivo.

9. Para indicar el presupuesto diario y del conjunto de anuncios, pulsar sobre la opción Presupuesto y calendario del menú situado a la izquierda, bajo el menú Conjunto de anuncios, o desplazarse hasta la parte inferior de la pantalla.

10. Pulsando sobre el enlace Mostrar opciones avanzadas se podrá acceder a características más especiales para la optimización del anuncio, como el importe de la puja, el tipo de facturación, la programación de los anuncios, etc.

11. Una vez realizada una configuración adecuada y optimizada para la campaña, pulsar sobre el botón Elegir contenido del anuncio.

12. Ya en el apartado Anuncio será posible elegir los componentes que formarán parte de la pieza de promoción. Es decir, las imágenes, la presentación o el vídeo, así como el texto y sus opciones.

13. En la zona derecha se podrá obtener una vista previa del formato final y elegir la sección de Facebook en la que debe aparecer

14. Para finalizar, y publicar el anuncio, basta con pulsar sobre el botón Realizar pedido y posteriormente seleccionar el método de pago adecuado.

Cómo aumentar las visitas del sitio Web de la marca

A pesar de que no se trate de una opción prioritaria dentro de una estrategia de visibilidad en Facebook, en campañas globales de marca siempre es importante disponer de la posibilidad de redirigir a la audiencia a un sitio Web o Landing Page. Fundamentalmente se realiza esta acción con la intención de conseguir conversiones.

Truco

La opción de promoción para atraer personas a un sitio Web permite crear un pixel para integrarlo en el sitio Web de modo que se pueda realizar una analítica exhaustiva y tener un control total sobre los usuarios y las conversiones.

Gracias a esta opción es posible conseguir conversiones a través de:

✓ Una descarga.
✓ La cumplimentación de datos en un formulario.
✓ Un pedido o una venta.

✓ La consecución de seguidores en una red social.

✓ Una suscripción.

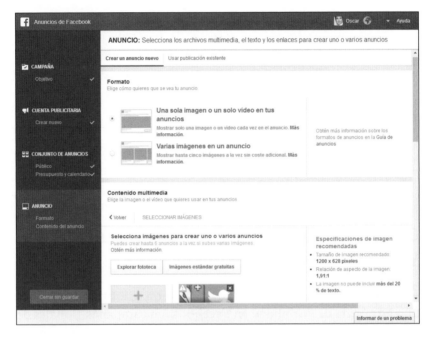

Figura 12.13. Es cada vez más adecuado buscar diferenciación
en los formatos utilizados para la creación del anuncio.
El vídeo es una posibilidad.

El proceso para dirigir usuarios a un sitio Web es el siguiente:

1. Acceder al Administrador de anuncios, eligiendo la opción Crear anuncios del menú superior izquierdo de la página (flecha abajo) o teclear (`Facebook.com/ads/manager`).

2. Seleccionar la opción Atraer personas a tu sitio Web.

3. A continuación, introducir la dirección de la página de marca destino de la campaña.

4. En la casilla inferior indicar un nombre específico para la campaña.

5. Pulsar sobre Crear cuenta publicitaria e indicar los datos y el nombre a asignar en la siguiente pantalla.

6. Pulsar sobre el botón Configurar público y presupuesto.

7. Aparecerán las opciones que permiten la segmentación del usuario objetivo, en la opción Público nuevo. En este apartado será necesario indicar, entre otros, lugares, edad, sexo e idiomas del público objetivo.

8. En los apartados Segmentación detallada y Conexiones se deben indicar datos más específicos sobre intereses, aficiones y actividades preferidas del público objetivo.

9. Para indicar el presupuesto diario y del conjunto de anuncios, pulsar sobre la opción Presupuesto y calendario del menú situado a la izquierda, bajo el menú Conjunto de anuncios, o desplazarse hasta la parte inferior de la pantalla.

10. Pulsando sobre el enlace Mostrar opciones avanzadas se podrá acceder a características más especiales para la optimización del anuncio, como el presupuesto, el período de circulación, el importe de la puja, el tipo de facturación, el tipo de entrega, la programación de los anuncios, etc.

Importante

En todo momento, durante el proceso de optimización del anuncio, se podrá visualizar en la zona derecha de la pantalla, las estimaciones de Alcance diario estimado, es decir el número de perfiles que podrán ver la pieza de promoción. Siempre basándose en el rendimiento medio de los anuncios dirigidos al público elegido anteriormente.

11. Una vez realizada una configuración adecuada y optimizada para la campaña, pulsar sobre el botón Elegir contenido del anuncio.

12. Ya en el apartado Anuncio será posible elegir el formato y los componentes que formarán parte de la pieza de promoción. Es decir, las imágenes, la presentación o el vídeo, así como el texto y sus opciones. Según se realicen cambios, en la zona derecha se podrá obtener una vista previa del formato final y elegir la sección de Facebook en la que debe aparecer

13. Para finalizar, y publicar el anuncio, basta con pulsar sobre el botón Realizar pedido y posteriormente seleccionar el método de pago adecuado.

Cómo conseguir más asistentes en un evento de la marca

Es un clásico para la marca. La realización de, por ejemplo, un evento tradicional para la presentación de un producto, es algo muy frecuente en el día a día de una compañía, sea del tamaño que sea. Pues bien, a través de las opciones de promoción pagada de Facebook la marca dispone de un sistema muy efectivo para dar a conocer cualquier evento entre su usuario objetivo. De algún modo se trata de promocionar un evento generando tráfico hacia un sitio Web o el *microsite* que informará de los detalles y deberá tratar de convertir la visita de un potencial asistente en una inscripción. Fundamentalmente se realiza esta acción con la intención de conseguir conversiones.

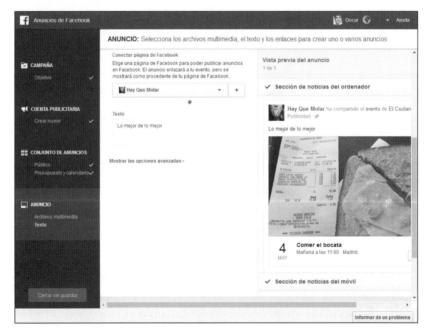

Figura 12.14. las opciones de promoción pagada de Facebook la marca dispone de un sistema muy efectivo para dar a conocer cualquier evento.

Importante

Para que la opción de Aumentar los asistentes a tu evento sea realmente efectiva, es necesario haber creado previamente un Evento de Facebook en la página de marca. De hecho este tipo de promoción sólo funciona enlazándola con una dirección Web correspondiente a un evento de Facebook del tipo (`www.Facebook.com/events/numero`). Si la intención es promocionar el evento a través de una página albergada en un sitio Web propio la opción más adecuada para la promoción debe ser Atraer personas a tu sitio Web.

Truco

No es posible promocionar un evento que va a tener lugar el mismo día.

Esta opción permite realizar la comunicación y promoción de eventos para conseguir asistentes a través de:

✓ Lanzamientos de producto.

✓ Ruedas de prensa.

✓ Convocatorias de recursos humanos.

✓ Jornadas informativas.

✓ Sesiones de formación.

✓ Entregas de premios.

✓ Reuniones con clientes.

✓ Asistencias a feria y congresos.

Curiosidad

Esta es una opción vital para compañías o marcas que dependen de la asistencia masiva de público a eventos tradicionales. Por ejemplo, agencias de comunicación, gestores de eventos, medios de comunicación, empresas de protocolo, gestores de exposiciones y ferias, etc.

El proceso para conectar con los potenciales asistentes a un evento es el siguiente:

1. Acceder al Administrador de anuncios, eligiendo la opción Crear anuncios del menú superior izquierdo de la página (flecha abajo) o teclear (`Facebook.com/ads/manager`).

2. Seleccionar la opción Aumentar los asistentes a tu evento.

3. A continuación, introducir la dirección del evento en Facebook de la marca. Debe ser una URL del tipo (`www.Facebook.com/events/numero`).

4. En la casilla inferior indicar un nombre específico para la campaña.

5. Pulsar sobre Crear cuenta publicitaria e indicar los datos y el nombre a asignar en la siguiente pantalla.

6. Pulsar sobre el botón Configurar público y presupuesto.

7. Aparecerán las opciones que permiten la segmentación del usuario objetivo, en la opción Público nuevo. En este apartado será necesario indicar, entre otros, lugares, edad, sexo e idiomas del público objetivo.

8. En el apartado Segmentación detallada se deben indicar datos más específicos sobre intereses, aficiones y actividades preferidas del público objetivo.

9. El apartado Conexiones permite especificar el tipo de conexión que debe tener el usuario objetivo con respecto al evento. Así es posible conseguir, por ejemplo, que el anuncio no se muestre a perfiles que ya han respondido al eventos, excluyéndolos.

10. Para indicar el presupuesto diario y del conjunto de anuncios, pulsar sobre la opción Presupuesto y calendario del menú situado a la izquierda, bajo el menú Conjunto de anuncios, o desplazarse hasta la parte inferior de la pantalla.

11. Pulsando sobre el enlace Mostrar opciones avanzadas se podrá acceder a características más especiales para la optimización del anuncio, como el presupuesto, el período de circulación, el importe de la puja, el tipo de facturación, el tipo de entrega, la programación de los anuncios, etc.

12. Una vez realizada una configuración adecuada y optimizada para la campaña, pulsar sobre el botón Elegir contenido del anuncio.

13. Ya en el apartado Anuncio será posible elegir las imágenes y el texto que formarán parte de la pieza de promoción. Según se realicen cambios, en la zona derecha se podrá obtener una vista previa del formato final y elegir la sección de Facebook en la que debe aparecer

14. Para finalizar, y publicar el anuncio, basta con pulsar sobre el botón Realizar pedido y posteriormente seleccionar el método de pago adecuado.

Cómo anunciar las ofertas de la página

Posiblemente esta sea una de las opciones más utilizadas en la promoción pura de productos o servicios en Facebook. La opción del Administrador de Anuncios denominada Conseguir que las personas soliciten tu oferta facilita a la marca la posibilidad de realizar labores puras de promoción y venta. Esta opción permite realizar una promoción directa de venta para conseguir perfiles que compren a través de:

✓ Ofertas.

✓ Descuentos.

✓ Promociones.

✓ *Outlets*.

✓ Concursos.

✓ Subastas.

Importante

Para que la opción de Conseguir que las personas soliciten tu oferta sea efectiva es necesario haber creado previamente contenido en la página del tipo Oferta. De hecho este tipo de promoción sólo funciona enlazándola con una pieza de contenido con este formato. Si la intención es anunciar un producto, descuento o promoción situada en una página ubicada en un sitio Web propio de la marca, la opción más adecuada para la promoción debe ser Atraer personas a tu sitio Web.

Es posible hacerlo del siguiente modo:

1. Acceder al Administrador de anuncios, eligiendo la opción Crear anuncios del menú superior izquierdo de la página (flecha abajo) o teclear (`Facebook.com/ads/manager`).

2. Seleccionar la opción Conseguir que las personas soliciten tu oferta.

3. A continuación, seleccionar la página de marca que contiene la pieza de contenido a promocionar.

4. En el menú que aparecerá, elegir la publicación que contiene la oferta a anunciar, pulsando sobre su nombre.

5. En la casilla inferior indicar un nombre específico para la campaña actual.

6. Pulsar sobre Crear cuenta publicitaria e indicar los datos y el nombre a asignar en la siguiente pantalla.

7. Pulsar sobre el botón Configurar público y presupuesto.

8. Aparecerán las opciones que permiten la segmentación del usuario objetivo, en la opción Público nuevo. En este apartado será necesario indicar, entre otros, lugares, edad, sexo e idiomas del público objetivo.

9. En los apartados Segmentación detallada y Conexiones se deben indicar datos más específicos sobre intereses, aficiones y actividades preferidas del público objetivo.

Importante

Durante todo el proceso de configuración y personalización del anuncio se podrá visualizar, en la zona derecha de la pantalla, un resumen de las opciones elegidas, además de las estimaciones de las métricas de Alcance diario estimado. Siempre basándose en el rendimiento medio de los anuncios dirigidos al público elegido anteriormente.

10. Para indicar el presupuesto diario del conjunto de anuncios, pulsar sobre la opción Presupuesto y calendario del menú situado a la izquierda, bajo el menú Conjunto de anuncios, o desplazarse hasta la parte inferior de la pantalla.

11. Pulsando sobre el enlace Mostrar opciones avanzadas se podrá acceder a características más especiales para la optimización de la entrega, el importe de la puja, el tipo de facturación, la programación de los anuncios, etc.

12. Una vez realizada una configuración adecuada y optimizada, pulsar sobre el botón Elegir contenido del anuncio.

13. Ya en el apartado Mensaje publicitario será posible modificar las opciones sobre las plataformas y secciones en las que publicar el anuncio, así como obtener una vista previa del formato final en la zona la derecha.

14. Para finalizar, y publicar el anuncio, basta con pulsar sobre el botón Realizar pedido y posteriormente seleccionar el método de pago adecuado.

Qué resultados analizar de los anuncios

Cuando se crea una pieza de promoción pagada, Facebook permite a la marca realizar un seguimiento de los resultados a través del Administrador de Anuncios. Mediante los informes de anuncios se muestran los datos con los resultados generados por el anuncio o anuncios activos, así como el gasto diario generado por la campaña.

Estos informes proporcionan la información que se precisa para optimizar y administrar las campañas. Además de suministrar todos los datos acerca de la cuenta, la campaña o el rendimiento del anuncio, ayudarán a conocer un poco más los perfiles de los usuarios que interactúan o pulsan sobre los anuncios.

El informe personalizado ofrece tres vistas principales que muestran:

✓ El **tipo de anuncio** que está en campaña, su programación y el importe invertido en él.

✓ Una vista del **número de perfiles** que han visto tu anuncio y han interactuado con él.

✓ El **modo de optimizar** el anuncio y mejorar su rendimiento.

También es posible acceder al rendimiento de una publicación promocionada de los siguientes modos:

- ✓ Pulsando sobre la opción Ver resultados, en la zona inferior de la pieza de publicidad, es posible acceder a los datos demográficos de los perfiles que han visto la publicación y cómo han interactuado con ella.
- ✓ Accediendo al Administrador de Anuncios
- ✓ Accediendo a la sección Publicaciones de las Estadísticas de la página

El informe personalizado dispone de tres tipos:

- ✓ **Rendimiento del anuncio.** Información que recoge estadísticas tales como impresiones, clics, CTR y gastos.
- ✓ **Datos demográficos.** Especifica algunos datos particulares sobre los usuarios (si éstos los han incluido en su perfil) que pulsan sobre el anuncio: sexo, edad, ubicación geográfica, etc.
- ✓ **Información sobre los perfiles de los usuarios que pulsan sobre el anuncio.** Proporciona información sobre los intereses que los usuarios han listado en su perfil personal de Facebook.

Estos informes se pueden generar en formato en formato .CSV y .XLS de forma que se puedan consultar a través de la hoja de cálculo de Microsoft (Excel).

Utilizar distintas tácticas de conversión

Cómo y con qué aplicaciones realizar concursos y sorteos

Una de las tácticas más habituales para generar *engagement* es la utilización de acciones centradas en la participación, algo muy habitual para suscitar interés en la audiencia. También es una operativa habitual a la hora de conseguir aumentar el número de seguidores y "Me gusta".

Sin embargo, Facebook prohíbe terminantemente, a través de las normas de las promociones, la realización de concursos y sorteos directamente en los muros y páginas de los usuarios, ya que se infringen las normas de confidencialidad de datos. Por esto, en la actualidad, hasta nuevo cambio, las marcas desarrollan estas acciones a través de aplicaciones de terceros que realizan esta labor de un modo independiente y que garantizan la confidencialidad de los datos de los usuarios participantes.

Figura 13.1. Una de las tácticas más habituales para generar *engagement* es la utilización de acciones centradas en la participación, como los sorteos.

Truco

La gran mayoría de las aplicaciones que permiten generar concursos y sorteos en Facebook disponen de la posibilidad de una utilización limitada gratuita. Esto es ideal para realizar pruebas y comenzar a realizar acciones tácticas en la página de marca sin apenas inversión.

Existen todo tipo de aplicaciones para la creación de concursos y sorteos, sin embargo las más potentes y habituales son las siguientes:

✓ **Cool-Tabs** (`Cool-Tabs.com`). Con versión gratuita.

✓ **EasyPromos** (`EasyPromos.com`). Con versión gratuita.

✓ **TriSocial** (`TriSocial.com`). Con versión gratuita.

✓ **Bloonder** (`Bloonder.com`). Con versión gratuita.

✓ **PageModo** (PageModo.com). Con versión gratuita.

✓ **SocialTools** (SocialTools.me). Con versión gratuita.

Importante

Es fundamental que la aplicación para generar concursos y sorteos disponga de opciones de analítica que permitan un control total sobre lo sucedido y enseñe a la marca el camino para mejorar estas acciones.

Figura 13.2. Las marcas desarrollan acciones como concursos y sorteos a través de aplicaciones de terceros.

Gracias a este tipo de aplicaciones Facebook ofrece a la marca grandes posibilidades para acercarse a la audiencia y alcanzar objetivos concretos como la consecución de fans, el aumento de las visitas a la página, la generación de interacción, el *engagement*, etc.

Cómo utilizar el botón de llamada a la acción para conseguir conversiones

Una de las claves para la conversión y consecución de objetivos a través de acciones tácticas es la adecuada utilización de todas las posibilidades que ofrece Facebook a través de una página de marca.

Una de las más directas y sencillas de poner en marcha es la que proporciona el denominado Botón de llamada a la acción, situado junto a la fotografía del perfil de la página en la portada.

Importante

Una vez creado el botón de la llamada a la acción estará disponible en la página y también será posible disponer de los datos sobre el número de clics semanales para su analítica.

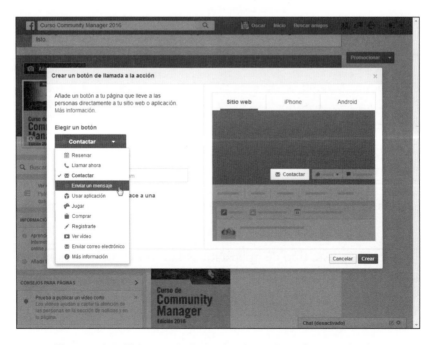

Figura 13.3. El botón de llamada a la acción ofrece todo tipo de posibilidades para la conversión.

Este botón posibilita la consecución de varias de las acciones mas determinantes para la consecución de objetivos con una página de marca en Facebook. Algunos de los más importantes son:

✓ Aumento de suscripciones.

✓ Redirección de tráfico a sitio Web o Ecommerce.

✓ Nuevos "Me gusta".

✓ Adquisición de *leads*.

✓ Obtención de datos a través de formularios.

✓ Consecución de llamadas telefónicas.

✓ Potenciación de descargas.

✓ Generación de reservas.

✓ Redirección a una red social.

Para su configuración basta con realizar este básico proceso:

1. Acceder a la opción Administrar páginas del menú principal.

2. Elegir la página a la que añadir el botón.

3. Pulsar sobre el botón Añadir un botón situado en la portada.

4. A continuación aparecerá el cuadro de diálogo Crear un botón de llamada a la acción, que posibilitará la configuración avanzada del texto que aparecerá y la acción que realizará.

La configuración de este botón ofrece distintas posibilidades, que no pueden ser modificadas. Por ejemplo, dentro del menú desplegable Elegir un botón es posible elegir entre todo tipo de acciones como Reservar, Llamar ahora, Contactar, Enviar un mensaje, Usar aplicación, Jugar, Comprar, Regístrate, Ver vídeo, Enviar correo electrónico o Más información. También destacan la posibilidad de introducir en enlace al que dirigir el tráfico y las opciones de visualización para entornos móviles iPhone y Android.

Cómo añadir pestañas personalizadas

La funcionalidad que permite añadir pestañas personalizadas a una página de marca es, posiblemente, una de las características que más posibilidades ofrece a la hora de realizar acciones tácticas en Facebook.

Existen distintas aplicaciones y plataformas que posibilitan generar, sin apenas conocimientos técnicos ni esfuerzo, nuevos espacios de contenido para el desarrollo y potenciación de la página de marca.

> *EJEMPLO. La versión gratuita de WooBox (WooBox.com) permite crear las pestañas de Twitter, Instagram, Pinterest, Youtube y una opción denominada HTML Fangate que permite desarrollar una página personalizada que contenga una oferta o promoción especial.*

La posibilidad de incluir aplicaciones a través de nuevas pestañas en la página permite realizar acciones tácticas que posibilitan:

✓ Promociones.

✓ Concursos.

✓ Presentaciones.

✓ Ofertas.

✓ Cupones.

✓ Regalos.

✓ Catálogos

También ofrecen posibilidades para integrar nuevos espacios de contenido y servicios como:

✓ Microsites Web.

✓ Blogs.

✓ Landing Pages.

✓ Formularios.

✓ Encuestas.

✓ Twitter, Instagram, YouTube, Pinterest

✓ Tiendas virtuales.

Facebook permite disponer de hasta 12 pestañas en cada página. Las dos primeras están destinadas a la información básica y a las fotografías, y son fijas, no pueden eliminarse. Las 10 pestañas restantes están disponibles para su personalización.

Figura 13.4. Para conseguir nuevas funcionalidades a través de pestañas basta con utilizar una aplicación de terceros.

En la mayoría de las ocasiones para conseguir nuevas funcionalidades a través de pestañas basta con utilizar una aplicación de terceros que realizan esta labor de un modo independiente y que añaden automáticamente las nuevas funciones a la página.

Existen todo tipo de aplicaciones para la creación de nuevas pestañas, sin embargo las más potentes y habituales son las siguientes:

✓ **WooBox** (WooBox.com). Con versión gratuita.

✓ **TeleMakingWeb** (TeleMakingWeb). Gratuita.

✓ **ShortStack** (`ShortStack.com`). Con versión gratuita.

✓ **TabSite** (`TabSite.com`). Con versión gratuita.

✓ **Votigo** (`Votigo.com`). $29 al mes.

✓ **StaticHTML** (`ThunderPenny.com`). Con versión gratuita.

Cómo incluir nuevas aplicaciones de Facebook

Uno de los modos más sencillos de potenciar las capacidades de una página de marca y ofrecer nuevas posibilidades a los usuarios se basa en incluir nuevas aplicaciones a la barra lateral.

Una página de marca en Facebook permite instalar aplicaciones que ofrecen funcionalidades como:

✓ Notas.

✓ Vídeos.

✓ Redes sociales.

✓ Juegos.

El proceso para incluir nuevas aplicaciones en la página es el siguiente:

1. Acceder a la opción Administrar páginas del menú principal.

2. Elegir la página a la que añadir nuevas aplicaciones.

3. Pulsar sobre el menú Configuración.

4. Seleccionar la opción Aplicaciones.

5. En el apartado Aplicaciones que podrían gustarte aparecerán las aplicaciones disponibles.

6. Elegir la más adecuada y pulsar Añadir aplicación en el botón que aparece a la derecha.

Una vez hecho esto, los usuarios que visiten la página podrán ver la nueva aplicación insertada en el menú superior, debajo de la portada.

Cómo aumentar una lista de suscriptores

Uno de los puntos fuertes de las herramientas estándar para la creación de estrategias de Email Marketing como MailChimp (MailChimp.com) o AWeber (AWeber.com) son sus posibilidades de integración con otras plataformas, en este caso con Facebook.

Este tipo de aplicaciones disponen de apartados para la creación de formularios que pueden ser integrados de un modo sencillo, rápido y funcional a través de una pestaña de Facebook.

Truco

Algunas herramientas de Email Marketing disponen de aplicaciones nativas de Facebook para la integración directa de los formularios en las páginas de marca. Es el caso de AWeber con su AWeber Web Form Tool o MailChimp con su Facebook Integration.

El proceso para incluir un formulario que realice una suscripción a una lista en una pestaña de la página es el siguiente:

1. Acceder a la opción Administrar páginas del menú principal.
2. Elegir la página a la que añadir la pestaña con el formulario.
3. Accede a la dirección (Tthunderpenny.com/add-tab) para instalar StaticHTML.
4. Seguir las instrucciones para la instalación.
5. Una vez disponible StaticHTML integrar el código del formulario en una pestaña de la página.

Cómo integrar un formulario en la página

La inclusión de un formulario para la obtención de datos de los usuarios o para su utilización en labores de soporte o servicio de atención al clientes es uno de los desarrollos más demandados en las páginas de marca de Facebook.

Figura 13.5. Algunas aplicaciones habituales para la generación de formularios en plataformas como Wordpress disponen también de versiones específicas en Facebook.

Por si esto fuera poco, algunos de los *plugins* habituales para la generación de formularios en plataformas como Wordpress disponen también de aplicaciones específicas de Facebook que permiten integrarlos de un modo automático.

Estas son las aplicaciones más conocidas para el desarrollo de formularios y su aplicación de Facebook:

✓ **Contact Form** (`Facebook.com/contact.form`). Gratuita.

✓ **ContactMe** (`apps.Facebook.com/contactme_tab`). Gratuita.

✓ **123 Contact Form** (`123ContactForm.com`). Gratuita.

✓ **Response o Matic** (`Response-o-matic.com`). Gratuita.

Vender productos desde la página

Cómo se puede comenzar a vender

A finales de 2011, uno de los sitios de referencia en cuanto a análisis y estadísticas de comercio electrónico vinculado a la redes sociales, y ya extinto, denominado Social Commerce Today (SocialCommerceToday.com) anunciaba que el ECommerce (*Electronic Commerce*) se convertiría en menos de cinco años en FCommerce (*Facebook Commerce*). Es decir, se pasaría del comercio electrónico al comercio Facebook.... Pues bien, parece que, una vez más, los expertos gurús se equivocaron.

Lo que no es equivocado ni erróneo es que los muros de Facebook están llenos de pistas de amigos que recomiendan productos, a los que "Les gusta" una determinada marca... estamos ante un cambio cultural en el que ganan la recomendación y la confianza, y pierden la promoción convencional y la publicidad molesta. Ahora sí, todo encaja.

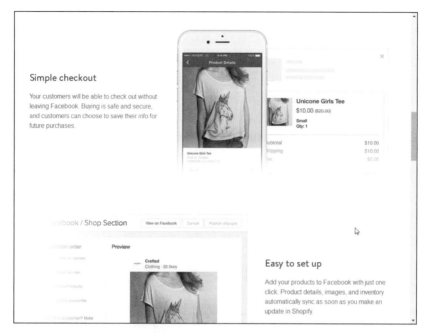

Figura 14.1. De algún modo se piensa que Facebook está en proceso de construcción de una plataforma de comercio electrónico en toda regla.

Muchos de los últimos informes sobre consumo en Internet indican que el usuario es cada vez más receptivo a compartir sus intenciones de compra (lo que los americanos denominan *Wishlist*, lista de deseos de compra) a través de plataformas sociales como Facebook.

Curiosidad

Muchos analistas creen en la posibilidad de que Facebook esté diseñando una estrategia de ventas para hacer sombra a Amazon. De algún modo se piensa que Facebook está en proceso de construcción de una plataforma de comercio electrónico en toda regla. Cada marca tiene una página en Facebook, la plataforma de publicidad está muy integrada, se puede hablar con "sistemas robot" de atención al cliente. Todo está desarrollado, excepto el proceso de venta y logística. Se cree poco probable que Facebook, a corto plazo, pudiera entrar en el mercado de la logística, pero no le costaría grandes esfuerzos crear un vínculo de cercanía para generar la transacción del cliente y obtener una comisión por las ventas.

El usuario es cada vez más social, a día de hoy los perfiles personales están plagados de recomendaciones y se aprovecha de la posibilidad de pedir opinión, de compartir, de obtener la experiencia de otros usuarios e incluso aceptar sugerencias. Ahora el usuario tiene la posibilidad de ver qué productos le gustan o han compartido sus amigos en Facebook y pueden aprovechar las recomendaciones de sus contactos.

Figura 14.2. Plataformas como Shopify son muy utilizadas por todas aquellas marcas que desarrollan Facebook Commerce.

Estas pautas del usuario muestran el camino, son un campo abonado para la marca, ya sea pequeña, mediana o grande. Para la marca, para sus productos, para muchos de sus servicios.

✓ Manejar correctamente las **expectativas** desde el principio.

✓ Establecer **objetivos** claros antes de dar el paso.

✓ Preguntarse cómo los **clientes** pueden comprar mejor en Facebook.

✓ Escuchar a los clientes, **monitorizando** ¿cómo les gustaría comprar en Facebook?

✓ Comenzar con estrategias s**encillas**.

✓ Vincular el FCcommerce con las demás **estrategias de venta** de la marca.

✓ Ofertar y **convencer** con estrategias distintas a las utilizadas en ECommerce.

✓ **Potenciar** lo que tiene éxito y funciona.

✓ **Experimentar** con todas las posibilidades que ofrece Facebook y el FCommerce.

✓ Utilizar métricas para el **seguimiento** de la actividad social y de la FStore.

✓ Facilitar, asegurar y **socializar** el proceso de compra.

✓ **Recompensar** la actividad de los usuarios.

Cómo optimizar una estrategia de venta

Ha llovido mucho, muchísimo. La primera transacción comercial en Facebook ascendió a 34 dólares y tuvo lugar el 8 de julio de 2009. El producto comercializado fue un *bouquet* de flores.

Desde esa fecha han pasado muchas cosas en el mundo del comercio electrónico y muchas más aún en todo lo concerniente a Facebook y los negocios digitales.

A día de hoy, tanto millones de marcas y sus sitios Web, como sus usuarios están diariamente conectados durante varias horas al día a Facebook. ¿Por qué no entonces unirlos para que se lleven a cabo conversiones y transacciones directas?

Y es que desarrollar una tienda en Facebook es una posibilidad muy atractiva que ofrece grandes beneficios con respecto a la venta convencional y bastantes con respecto al comercio electrónico tradicional.

Entre sus ventajas más importantes están la utilización masiva por parte del usuario de los *plugins* sociales de Facebook, la posibilidad de personalizar la experiencia de recomendación y compra, un bajo coste de implantación y desarrollo y la facilidad extrema de analizar y medir cada una de las acciones que realiza el usuario.

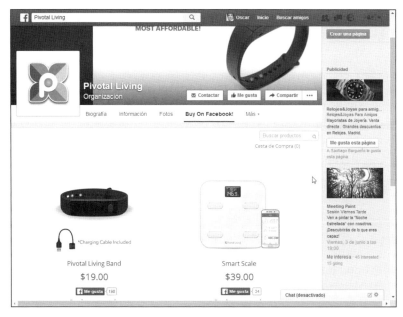

Figura 14.3. Desarrollar una tienda en Facebook es una posibilidad muy atractiva para la marca, por pequeña que sea.

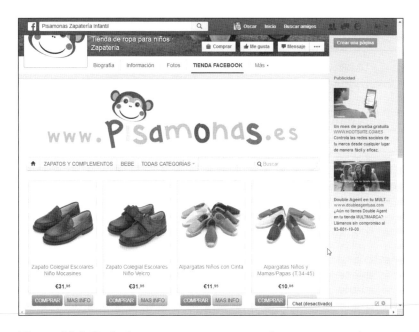

Figura 14.4. Cualquier marca, por muy pequeña que sea, puede poner en marcha un sistema de venta a través de Facebook.

A continuación se muestran algunas claves para tener éxito en la puesta en marcha de una estrategia de venta a través de Facebook:

- ✓ **Audiencia.** Facebook es la plataforma a la que el usuario dedica más tiempo y es el sitio de inicio para la navegación de millones de personas. Además el número de usuarios de Facebook sigue creciendo exponencialmente y convierte a la plataforma en una herramienta perfecta para la conversión y la venta.

- ✓ **Segmentación.** Para el marketing, Facebook se ha convertido en una enorme base de datos sobre los intereses, gustos y deseos del usuario. Los perfiles comparten sus marcas, siguen a productos, muestran su ropa y etiquetan la música que les gusta. Algo que permite conocer con detalle el gusto del posible cliente y facilita la acción de personalizar la experiencia de compra.

- ✓ **Estrategia.** Facilitar la compra del usuario no es el final del camino. Tras las estrategias están los objetivos a cumplir. Vender no es sencillo, ni siquiera en Facebook, por mucho que pueda parecerlo. Es necesario conversar, diferenciarse, aportar valor, fidelizar, fundamentalmente a través de la creatividad de los contenidos. ¿Qué es creatividad? Ofertas, bonos, descuentos, regalos, cupones, promociones cruzadas... Es necesario lanzar mensajes y promociones específicas para nichos lo más segmentados posibles.

- ✓ **Comunidad.** La única fórmula para conseguir vender a través de Facebook pasa por crear una comunidad de calidad, sin prisas. Conversar e interactuar son las estrategias que funcionan en este caso.

- ✓ **Compensación.** Recompensar al cliente por ser miembro de la comunidad de la marca es la mejor de las estrategias. Debe sentirse valorado, especial, único, imprescindible. Los usuarios de la comunidad de marca deben ser los "únicos" que puedan acceder a contenidos inéditos, ventas exclusivas o el lanzamiento de productos de forma anticipada.

Cuáles son las ventajas que ofrece una Facebook Store

Por distintas razones es posible que una marca no se plantee la creación de un sitio Web que disponga de un *Ecommerce* integrado pero que sin embargo, por razones estratégicas y de consecución de objetivos, la estrategia de ventas pase por intentar aprovechar los beneficios de disponer de una alta audiencia en Facebook. Según un estudio reciente de la consultora PWC (Pwc.com) el 45% de los usuarios compran más productos de sus marcas favoritas después de consultar las plataformas sociales, y más concretamente Facebook.

Figura 14.5. Vender no es sencillo, ni siquiera en Facebook, por mucho que pueda parecerlo, pero hay marcas que lo hacen bien y lo consiguen.

La decisión estratégica de no desarrollar un *Ecommerce* se puede dar por distintas razones:

✓ Marca con poca visibilidad fuera de Facebook.

✓ Número bajo de productos para la venta.

✓ Clientes muy segmentados.

✓ Posibilidad de inversión mínima.

✓ Productos de bajo precio y margen.

✓ Tiempos muy reducidos de desarrollos

Para estas marcas Facebook da la posibilidad de incluir una Facebook Store en su página que facilite la visibilidad de sus productos a los usuarios que más fácilmente pueden comprar sus productos, sus fans y seguidores.

Una Facebook Store facilita enormemente el proceso. Algunas de sus ventajas son:

✓ Facilita la oferta de todo tipo de productos.

✓ Integra un carrito de la compra.

✓ Procesa la operación de venta desde la plataforma.

✓ Requiere de mínimos conocimientos técnicos.

✓ Aprovecha integración con soportes móviles.

✓ Facilita el aprovechamiento de la experiencia social.

✓ Incorpora motor de recomendación.

✓ Fideliza a la comunidad a través de condiciones especiales.

Cómo y con qué convertir "likes" en "buys"

En muchos casos es posible vincular una Facebook Store con una página de la marca es el mejor modo de unir el reconocimiento del usuario al de las características de Facebook para potenciar el negocio y mejorar los resultados.

Un sistema de Facebook Commerce a través de una Facebook Store es una oportunidad muy interesante para aumentar ventas, pero su puesta en marcha requiere tanto adaptarse a las características propias de Facebook como a la de sus usuarios. Posiblemente esa sea una de las causas fundamentales por la que es una estrategia que no ha terminado de dar su fruto.

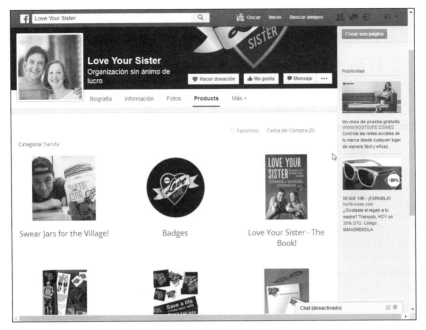

Figura 14.6. Un sistema de Facebook Commerce a través de una Facebook Store es una oportunidad muy interesante para aumentar ventas.

Como estrategia muchas marcas han comenzado a apostar por acciones temporales y elementos interactivos que resulten lo más atractivos posible para el consumidor, intentando fomentar la confianza del usuario.

Importante

Muchas marcas ponen en marcha su Facebook Store, suben unos cuantos productos y esperan pasivamente que los usuarios compren sin más. Esto es como abrir un nuevo negocio en una calle de una gran ciudad y que sin promocionarlo ni darlo a conocer esperar a que lleguen las ventas.

Figura 14.7. Con algunos sistemas, la inversión para disponer de una Facebook Store no es muy alta.

Para ello se utilizan *apps* o sistemas integrados que generan una nueva opción en la página de la marca, que facilitan la inclusión de productos, imágenes y precios de un modo sencillo. Una vez realizado el proceso de inclusión de los productos, la puesta en marcha de la Facebook Store es sencilla y puede estar preparada para la venta en muy poco tiempo.

Existen distintos sistemas y plataformas pero los más avanzados y establecidos son:

- ✓ Shopify (`Shopify.com`).
- ✓ EcWid (`EcWid.com`).
- ✓ ShopTab (`ShopTab.com`).
- ✓ StoreYa (`StoreYa.com`).
- ✓ StoreFrontSocial (`StoreFrontSocial.com`).
- ✓ BigCommerce (`BigCommerce.com`).

Cuándo llega la sección Tienda a Facebook

A principios de Abril de 2016 se presentó una nueva función de Facebook para las páginas de marca: la sección de tienda.

Figura 14.8. Una nueva función de Facebook se encuentra en fase de prueba, la sección Tienda.

Esta nueva función, en fase de pruebas en algunos países, permitirá añadir una sección de tienda a la página de la marca que le facilitará vender productos directamente, sin salir de Facebook. Según los datos, aparece junto a las demás secciones de la página (como Biografía o Información) y permitirá, entre otros:

- ✓ Subir productos e información sin límite en cuanto al número.
- ✓ Seleccionar y personalizar el catálogo de productos.
- ✓ Dividir los productos en diferentes colecciones
- ✓ Crear una sección con 10 productos destacados.
- ✓ Vender directamente desde la página.

✓ Administrar los pedidos.

✓ Clasificar los pedidos como enviados, cancelar y reembolsar pedidos.

✓ Enlazar la tienda con anuncios de Facebook para promocionar productos.

✓ Obtener analíticas adaptadas a los procesos de venta.

Medir y analizar la estrategia

Por qué es obligado medir y analizar

"Lo que no se mide, no se controla, y lo que no se controla, no se puede mejorar.". Esta es la típica frase utilizada hasta la saciedad en charlas y seminarios sobre analítica y monitorización, pero no por ello menos representativa de una realidad, el control de los resultados y su análisis es el proceso que consigue redondear una estrategia efectiva de visibilidad de una marca en Facebook.

Importante

Los datos son un elemento vital, pero lo realmente estratégico es la posibilidad de obtener conclusiones acertadas, detectar tendencias, valorar acciones, descubrir estrategias. En resumen, generar un buen análisis que facilite una adecuada toma de decisiones.

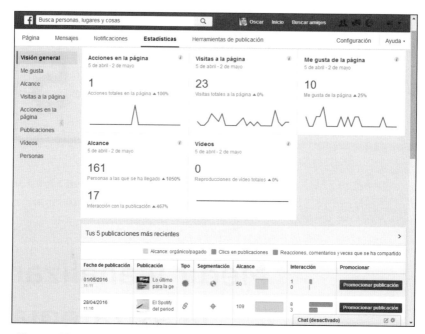

Figura 15.1. Lo que no se mide, no se controla, y lo que no se controla, no se puede mejorar. Esa es la función de Facebook Insights.

De algún modo, gracias a herramientas como Facebook Insights, la cantidad de datos que se pueden conocer de una página de marca y de sus acciones de promoción pagada puede llegar a ser enorme.

La medición y el posterior análisis de lo que ocurre en Facebook facilita a la marca disponer de datos muy valiosos sobre los intereses, gustos y tendencias del usuario, que luego se deben utilizar para conseguir establecer estrategias y llegar a la consecución de los objetivos planteados.

Herramienta imprescindible

FACEBOOK INSIGHTS. La herramienta de analítica nativa de Facebook, a pesar de tener mucha competencia, sigue siendo una de las más potentes. Permite segmentar datos de una Página de Fans, generar y descargar informes, recopilar métricas de página, publicación y usuario, tendencias, gráficos, evaluar a la competencia, obtener datos demográficos, etc.

(Facebook.com/Insights) Gratuita.

Pero no deben cegarnos tantos datos y gráficos, no son más que meros números y colores, lo realmente crucial de esta operativa es el análisis final al que se puede llegar. Lo fundamental es sacar conclusiones acertadas, detectar tendencias, valorar acciones, descubrir estrategias... en resumen, analizar para posteriormente poder tomar decisiones acertadas.

> *EJEMPLO. Una marca dedicada al diseño y venta de mobiliario debe ser capaz de, a través del análisis del contenido de su página en Facebook, detectar qué color es el que más gusta a su usuario, qué valora más de un nuevo modelo, qué opina sobre los precios o qué necesidades tiene para decorar su hogar. Esto le permitirá adaptar los colores, mejorar el diseño, ajustar los precios y seleccionar tipologías en la creación de nuevos productos y líneas de mobiliario. Más concretamente debe analizar con detalle los datos que ofrece Facebook Insights en su apartado Personas que están hablando de esto.*

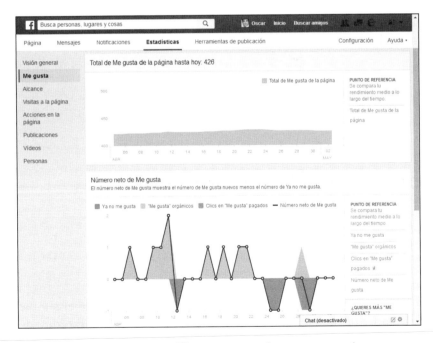

Figura 15.2. Datos y gráficos, no son más que meros números y colores, lo realmente crucial de esta operativa es el análisis final al que se puede llegar.

Por qué Facebook Insights

Actualmente Facebook cuenta ya con una de las herramientas de analítica propia de mayor dimensión para el seguimiento de datos, Facebook Insights. Esto una aplicación que permite valorar el impacto que tiene una estrategia en Facebook, saber si se está ajustando al plan trazado, conocer si está siendo rentable y, sobre todo, para tomar decisiones sobre cómo se debe actuar a corto o medio plazo. Esta disponibilidad permite ajustar de una manera más adecuada las acciones de contenido que se proyectan en la página de una marca.

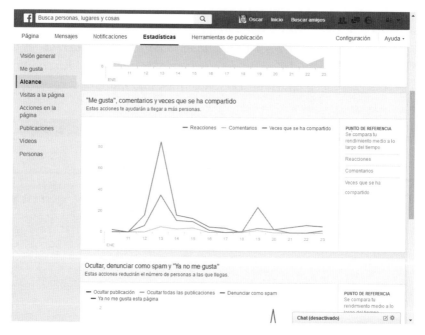

Figura 15.3. Facebook Insights es una aplicación que permite valorar el impacto que tiene una estrategia en Facebook, saber si se está ajustando al plan trazado.

La analítica puede, y debe, aportar mucho más que el simple resultado de una campaña o una acción. Según un estudio de Demand Metric (`DemandMetric.com`) un 36% de profesionales encuestados mostraron interés por utilizar las herramientas de analítica social con el fin de mejorar su servicio de atención al cliente, un 18% para la detección de la intención de compra del usuario y un 32% para conocer las tendencias y testear ante al lanzamiento de un nuevo producto o de conocer a *influencers*.

Curiosidad

El menú Estadísticas (Facebook Insights) no está disponible para aquellas páginas que no dispongan del al menos 25 "Me gusta". La plataforma establece un número mínimo de seguidores, para disponer de esta funcionalidad.

Conceptos como el alcance total del contenido, la viralidad de una campaña, el aumento de pulsaciones sobre el botón "Me gusta", la popularidad del contenido o la estacionalidad de los comentarios, son ahora medibles y analizables de un modo sencillo con Facebook Insights.

Herramienta imprescindible

SPROUT SOCIAL. Posiblemente el gestor de redes sociales (publicación y programación) con unas posibilidades más avanzadas de analítica y *reporting*. Ofrece métricas cuantitativas y cualitativas de las principales plataformas con informes personalizados y posibilidad de monitorización y exportación de datos.

(SproutSocial.com) Opción gratuita.

Importante

La medición, y su posterior analítica, es la base para poder valorar el impacto de una estrategia en Facebook, conocer si se está ajustando a los objetivos iniciales y, sobre todo, si está siendo adecuada y rentable. Uno de los aspectos más importantes de las métricas en Facebook es la capacidad que ofrecen de poder adaptar el trabajo con la marca según los resultados obtenidos. Básicamente se trata de ir adaptando la estrategia de visibilidad a los resultados.

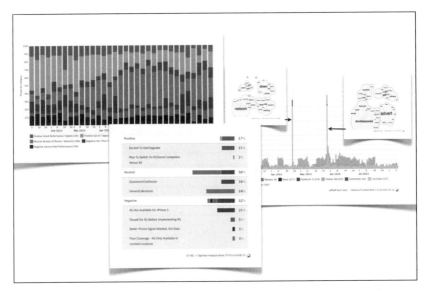

Figura 15.4. Existen decenas de herramientas que permite analizar las acciones del usuario en Facebook.

El menú Estadísticas de una página facilita la información que es necesaria para recopilar datos de consumo de contenidos. De algún modo Facebook propone una herramienta que sugiere un gran avance con respecto a entender mejor cómo la gente interactúa con el contenido de una página, una aplicación o un sitio Web que disponga de elementos Facebook. Es el modo de comprender el rendimiento de la página y de conocer qué contenidos resultan más interesantes a los perfiles para luego optimizar los contenidos y conseguir aumentar la audiencia a través de un mayor número de "Me gusta".

Qué datos se pueden obtener a través de Facebook Insights

Es indudable que para comenzar a realizar una analítica adecuada de una página de marca lo primero, y esencial, es conocer Facebook Insights (el apartado Estadísticas de la página) y reconocer cuales son los apartados y métricas básicas que ofrece esta herramienta.

Curiosidad

Los datos y métricas que ofrece Facebook Insights (apartado Estadísticas) se encuentra en constante actualización. La aparición, por ejemplo, de las métricas alineadas con las reacciones o con el vídeo, son de implementación muy reciente.

Básicamente la información que ofrece Facebook Insights es independiente de cada página de marca y permiten conocer, consultar y guardar los datos sobre las métricas de parámetros específicos en un período específico.

Para consultar esta sección y sus datos es necesario realizar el siguiente proceso:

1. Acceder a la página a analizar eligiendo su nombre en el menú izquierdo de la página (mostrado como una flecha abajo).
2. Seleccionar la opción Estadísticas del menú superior.
3. A continuación aparecerá la Visión general de los datos.

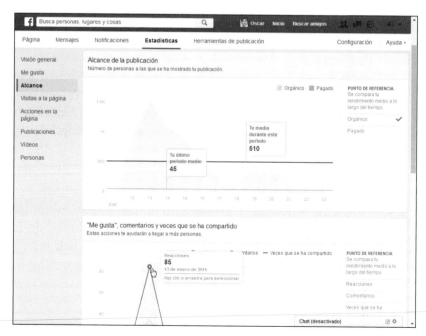

Figura 15.5. Los datos sobre el alcance, muestran al número de perfiles a los que se ha conseguido mostrar las publicaciones.

La primera pantalla, tras pulsar el botón, muestra las métricas más importantes para comenzar a trabajar en un análisis serio. Pero dispone de las siguientes opciones:

- ✓ **Me gusta.** Métricas con respecto al número "Me gusta" recibidos, número de "Me gusta" neto, su evolución a lo largo del tiempo y el lugar desde donde se han producido.

- ✓ **Alcance.** Métricas con respecto al número de perfiles a los que se ha conseguido mostrar las publicaciones, veces que se ha conseguido una reacción, un comentario o se ha compartido una pieza de contenido.

- ✓ **Visitas a la página.** Métricas con respecto al número de visualizaciones totales y por sección, así como el número de perfiles que la han visto, por sección, edad, sexo, país, ciudad y dispositivo. También el origen de los visitantes y las visitas.

- ✓ **Acciones de la página.** Métricas con respecto al número de clics en secciones de página como el Cómo llegar, número de teléfono, enlace al sitio Web y en el botón de llamada a la acción. Todo ello segmentado por edad, sexo, país, ciudad y dispositivo.

- ✓ **Publicaciones.** Métricas con respecto al número diario de publicaciones y el número de perfiles que han interactuado con ellas a través de un clic, una reacción, un comentario, etc. Además información detallada con métricas específicas de cada tipo de publicación con estados, fotografías y vídeos.

- ✓ **Vídeos.** Métricas con respecto al número de reproducciones de vídeo, vídeos destacados y sus detalles.

- ✓ **Personas.** Métricas con respecto a los datos sobre los perfiles que ha hecho "Me gusta" y los visitantes de la página. Con información demográfica, como edad, sexo y lugar. También datos sobre los perfiles alcanzados.

Cómo analizar el contenido para mejorarlo

El apartado Publicaciones es posiblemente uno de los más interesantes a la hora de consultar información estadística sobre los procesos alineados con el contenido de la página. Es una sección que muestra con detalle qué ha ocurrido con las piezas de contenido y cómo ha reaccionado el usuario ante su visualización.

EJEMPLO. Imaginemos que una marca productora de programas de televisión se encuentra en promoción de un nuevo reality y que publica en su página un vídeo de promoción. Básicamente una empresa así debería centrarse en el alcance del contenido y en el número de usuarios que interactúan con el contenido (apartado Publicaciones), pero también debe analizar qué número de usuarios han llegado al vídeo de promoción y cuántos de ellos lo han reproducido (apartado Vídeos).

Importante

Cada una de las columnas que aparecen en el apartado Publicaciones ofrece una perspectiva diferente del posible éxito o fracaso de la estrategia de contenidos, siempre dependiendo de los objetivos planteados al comienzo.

Por tanto la información que aporta la sección Publicaciones son datos analíticos de gran valor, fundamentalmente porque gran parte del éxito de un marca en Facebook dependerá de la acogida de su contenido por parte del usuario.

Las siguientes son algunas de las métricas esenciales y cómo aprovecharlas en la mejora del contenido:

✓ **Cuándo están conectados tus fans.** Muestra datos de gran valor, con una vista semanal, sobre cuándo acceden a Facebook los perfiles que han indicado "Me gusta" en la página de la marca. Pulsando sobre la zona superior se puede conocer el número de perfiles y la hora. Esta métrica permite identificar los momentos en que es más probable que los usuarios de la página estén conectados para planificar adecuadamente los horarios de publicación de contenido.

EJEMPLO. Si los datos muestran que el público de la página se conecta más a Facebook a primera hora de la mañana, la marca debe programar que las publicaciones se muestren durante ese momento del día.

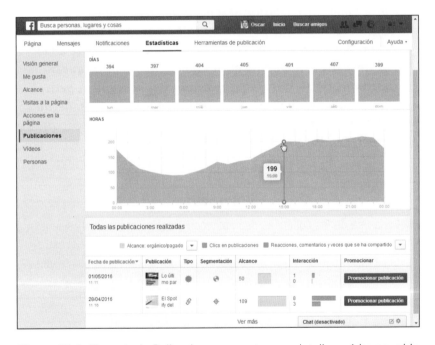

Figura 15.6. El apartado Pulicaciones muestra con detalle qué ha ocurrido con las piezas de contenido y cómo ha reaccionado el usuario ante su visualización.

✓ **Tipos de publicaciones**. Muestra los tipos de publicaciones creadas por la página, a cuántos perfiles alcanzan y la respuesta de estos usuarios. Son métricas que permiten conocer qué tipo de publicaciones funcionan mejor entre la audiencia de la página.

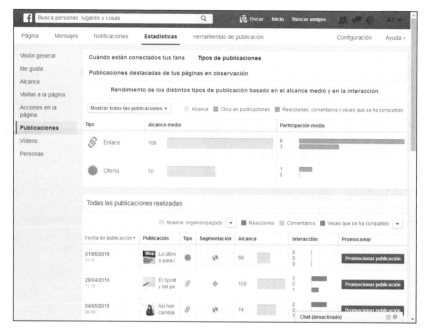

Figura 15.7. La analítica del contenido ofrece detalles importantes de cómo mejorarlo.

EJEMPLO. Si los datos muestran que la audiencia se interesa más y comparte más las publicaciones que incluyen un vídeo, la marca debe comenzar a publicar más piezas de contenido que incluyan vídeo.

✓ **Alcance.** Muestra el total de perfiles únicos que han visto cada una de las publicaciones, bien a través de la sección Noticias o bien porque han consultado la Página. En esta métrica se distingue entre la visualización orgánica o de pago. También de los perfiles que son o no fans.

EJEMPLO. Si los datos muestran que un tipo de publicación con una determinada temática logra mayor alcance, la marca debe comenzar a repetir la fórmula de temática, publicación y contenido en busca de mejorar los resultados.

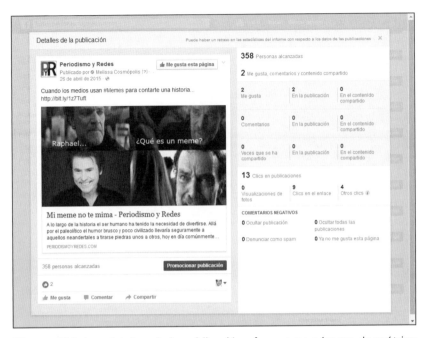

Figura 15.8. Los detalles de la publicación ofrece gran número de métrica asociadas a la pieza.

✓ **Interacción.** Muestra el total de perfiles que han realizado algún tipo de acción sobre una publicación. Por ejemplo, si se ha publicado un vínculo y un vídeo, esta opción mostrará el número de usuarios que han hecho clic en este enlace y el número de usuarios que han visualizado el vídeo.

También dispone de todo tipo de datos relevantes sobre reacciones, comentarios y piezas compartidas, además de información sobre veces que se ha ocultado la publicación (acción negativa). Esta métrica permite identificar si el contenido es adecuado y si el modo de publicación es el correcto.

EJEMPLO. Si los datos muestran que una publicación ha logrado un alto porcentaje de interacciones positivas, la marca debe comenzar a repetir la fórmula de temática, publicación y contenido en busca de mejorar aún más los resultados.

Cómo tratar los datos de Facebook Insights y hacer reporting

El *reporting* es el sistema por el que la marca transmite la información y facilita, a todo aquél que lo requiera, un acceso sencillo y cómodo a los datos. De algún modo, gracias a la organización y la conceptualización de los datos, se debe tratar de generar *dashboards* e informes que los hagan accesibles a los diferentes departamentos para que puedan ser consultados un modo rápido e intuitivo. Esto facilitará enormemente la posterior tomas de decisiones.

Figura 15.9. Las herramientas de reporting son fundamentales para entender mejor los datos y poder transmitirlos.

Sin embargo, la elaboración de informes del resultado de la estrategia de Facebook no puede ser una tarea casual, ni tan siguiera causal. Debe establecerse como una labor más la de analizar con Facebook Insights, incluso debe darse por hecho que será una rutina periódica.

Un sistema de *reporting* de analítica en Facebook adecuado debe permitir:

✓ Comprobar la evolución de las métricas.

✓ Conocer detalles sobre los usuarios.

✓ Interpretar los resultados de las estrategias.

✓ Comparar los datos extraídos.

✓ Detectar cambios en las tendencias.

✓ Estudiar detalles de un modo gráfico.

✓ Generar todo tipo de informes personalizados.

Truco

Antes de diseñar un proceso de generación de informes de datos, por básico que sea, es preciso considerar que debe responder a tres preguntas sobre la información: quién la necesita, cuándo la necesita y para qué la necesita.

Las características del *reporting* están alineadas con la necesidad de información. Es decir, variarán con las propuestas de contenidos en Facebook y, por lo tanto, es preciso que el sistema para la generación de informes sea flexible, ágil y personalizable para poder adaptarse a los cambios que sean requeridos por la marca.

Herramienta imprescindible

SOCIALREPORT. Opción especializada y de gran potencia para la creación automatizada y personalizada de informes analíticos. Permite realizar el seguimiento del rendimiento de Facebook e incluye todo tipo de datos y métricas específicas que no facilita Insights. Además permite la exportación de los informes en formato Excel y PDF.

(SocialReport.com) $19.

Si se consigue establecer un sistema de *reporting* adecuado se utilizarán pantallas e informes que, a simple vista, muestren las necesidades estratégicas y los puntos fuertes y débiles de los procesos tácticos de la página de la marca.

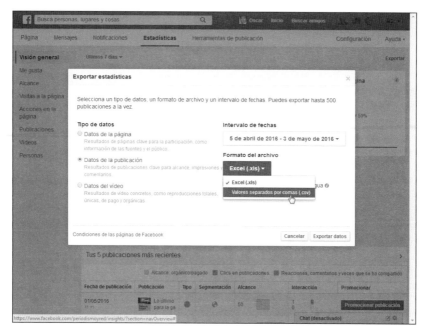

Figura 15.10. Los datos de la analítica de Facebook pueden ser exportados para su tratamiento con programas como Excel.

El proceso para exportar los datos de analítica para su posterior análisis es el siguiente:

1. Acceder a la página a analizar eligiendo su nombre en el menú izquierdo de la página (mostrado como una flecha abajo).

2. Seleccionar la opción Estadísticas del menú superior.

3. A continuación seleccionar la opción Visión general situada en el menú de la izquierda.

4. En la parte superior derecha, pulsar sobre el botón Exportar.

5. Seleccionar el informe adecuado en el apartado Tipo de datos.

6. Elegir un intervalo de fechas para extraer los datos.

7. Seleccionar el tipo de fichero de salida en la opción Formato de archivo. Se debe especificar si el fichero resultante se guardará en formato CSV o bien en formato Excel.

8. Para finalizar, pulsar sobre el botón Exportar datos.

Índice alfabético

A

123 Contact Form, 216
Acciones tácticas, 22
Addictomatic, 48
Amazon, 218
Análisis, 35
Analítica, 15, 16, 24, 41
Anuncios, 205
Audiencia, 14, 17, 23, 111, 195
Auditorías, 17, 139
AWeber Web Form Tool, 215

B

BannerFans, 153
BarometerAgoraPulse, 24
BigCommerce, 226
Bitly, 152
Blog, 13, 27,
Brand24, 48
BufferApp, 151
Buys, 224
BuzzMonitor, 47
BuzzSumo, 132

C

Calendario editorial, 140
Campaña de promoción, 177
Canva, 114
Clics, 34, 63, 192

Comercial, 69
Compensación, 222
Competencia, 21, 24
Comunidad, 23, 32, 58, 88
Concursos, 207
Configuraciones, 113
Contact Form, 216
ContactMe, 216
Contenido, 10, 19, 24, 35
Contenido, análisis, 35
Content Marketing Institute, 136
Conversación, 41, 165
Conversión, 95
Conversión, tácticas, 207
Copy Blogger, 149

D

Dashboard, 32

E

Ecommerce, 217
EcWid, 226
EdgeRank, 155
Efectividad, 67
Email Marketing, 215
Enfoque, 77, 78
Engagement, 28
Enlace, 34, 63, 92
Escuchar, 71
Estadísticas, 26, 150, 151, 235

Estrategia de venta, 217
Estrategia, 7, 9, 10, 13, 14, 56, 60
Excel, 23, 33
Experiencia Social, 224

F

Facebook Ads, 188
Facebook Content Analysis, 36
Facebook Insights, 230, 232
Facebook Store, 220, 222
Facilitar, 71
FanPage Karma, 24
Fans, 22, 30, 51, 66
Fcommerce, 219
feed RSS, 42
Feedly, 42
Formulario, 215
Formulario, integrar, 215

G

Gifs, 158
Google Calendar, 153
Google URL Shortener, 34
Google, 89
Grupo, 88

H

Herramienta, 47
Hootsuite, 150

I

Identidad, 68
IfTTT, 153
Influencers, 63, 75
Influencia, 53, 63, 130, 174
Instagram, 212
Interacción, 70
Interactividad, 35
Investigar, 21, 24, 31, 35, 37

K

Klout, 101

L

Landing Pages, 212
LikeAlyzer, 24
Likes, 224
Lista, 215

M

MailChimp, 215
Marca personal, 86
Marca, 43
Marketing de Contenidos, 134, 136
Marketing Digital, 14
MarketingProfs, 136
Me gusta, 30, 36, 63, 64, 85
Medición, 19, 28, 233
Mention, 48
Meta, 55, 57, 59
Métricas, 19, 22, 26, 27
Monitorización, 41
Monitorizar, 41, 42, 45,
MyCopyBlogger, 149

N

Nuevas aplicaciones, 214

O

Objetivos, 55, 63
Optimizar, 220

P

Página, 67, 83, 84, 85
PDF, 54
Perfil personal, 95
Perfiles, 14, 33, 89, 95, 124, 222
Personalizar, 33, 37, 115, 116, 222,
    227
Pestañas personalizadas, 212
Pixlr, 153
Plan de Contenidos, 138-140
Planificar, 177
Plantillas, 23, 54, 114
Plataforma Social, 55

Plugins, 220
Portent Idea Generator, 149
Posicionamiento, 167
Procesos, 25, 71
Producto, 12, 13, 51, 58, 220
Profesional, 69, 75, 87
Promoción, 169
Promoción, pagada, 173, 174
PTAT, 28
Publicación de contenido, 18, 79, 86, 238
Publicaciones, 22
Publicitar, 173
Público preferido, 107

Q

Query, 46
Quintly, 24

R

Recomendación, 56, 66, 166
Reporting, 53
Response o Matic, 216
Resultados, 11, 14, 49, 52
Retorno de la inversión, 74
Retorno, 74
Rival IQ, 24
ROI, 61

S

Sector, 21, 24, 27
Segmentación, 99, 100, 111, 222
Segmentar, 99
Seguidores, 22, 23, 51, 89
Servicios, 13, 39, 58, 103
Shopify, 219, 226
ShopTab, 226
ShortStack, 213
SimilarWeb, 24
Simply Measured, 24
Sitio Web, 197
sMetrica, 24
Sociack, 48
Social Bakers, 24

Social Commerce Today, 217
Social Searcher, 42
SocialMention, 48
SocialReport, 242
Sorteos, 207
SproutSocial, 153
StaticHTML, 215
StoreFrontSocial, 226
StoreYa, 226
SumoRank, 24
Suscriptores, 215

T

TabSite, 213
Tácticas de conversión, 207
TagBoard, 48
TalkWalker, 46
TeleMakingWeb, 213
ThunderPenny, 213
Tienda, 227
Tiendas virtuales, 213
Tráfico, 26
Transparencia, 56
Twitter, 212

U

Usuario, 185

V

Vender, 217
Venta, 220
Visibilidad, 13, 14, 36, 43
Visibilidad, configurar, 113, 114
Votigo, 213

W

Wishlist, 218
WooBox, 213

Y

YouTube, 212